D1013876

Berger Str. 261, D-60385 Frankfurt/Main
Internet: www.simon-schweitzer.de
e-Mail: frankdemant59@yahoo.de

Umschlagillustration: Shirin Franzmann
Lektorat: Christine Schmidt
Druck: Prisma-Druck, Saarbrücken
6. Auflage

Simon Schweitzer – immer horche, immer gugge

Erste Sachsenhäuser Kriminalepisode
von F. Demant

Röschen-Verlag

Der Autor
Frank Demant, geboren 1959 in Frankfurt/Main, aufgewachsen im Stadtteil Fechenheim. Besuchte das Helmholtz-Gymnasium in Bornheim. Von 1984 bis 2005 Taxifahrer in Frankfurt. Seit Mai 2005 ist Demant freier Schriftsteller und schreibt außer Bücher gelegentlich Reportagen für das Frankfurter Fußballmagazin Zico. Spielte in der Jugend Fußball bei Eintracht Frankfurt, seit 1984 bis heute beim TSV Taras (TG Sachsenhausen).

Herr Simon Schweitzer, mit tz, wie man sieht, öffnete sachte die Tür und zog die Schuhe aus. Ihr Schlüsselbund mit dem lustigen Seehundanhänger hing wie erwartet am Bord, also verhielt er sich noch leiser als er es ohnehin schon tat. Auf Zehenspitzen und Strümpfen schlich er zu seinem Zimmer, wobei er achtsam die Dielen, welche unter Belastung übermäßig knarrten, aussparte. Nachdem er die Zimmertür geschlossen hatte, schaltete er das Licht an und ging zum Fenster. Rechts, also im Osten, erkannte er einen schwachen, horizontalen Lichtschein. Es war aber auch wieder spät geworden, heute. Oder früh, je nachdem. Herr Schweitzer begann sich auszuziehen und trällerte dabei tonlos ein Liedchen. Akkurat legte er die Kleidung über die Stuhllehne. Er war eine Spur besser gelaunt als sonst, ja für seine Verhältnisse geradezu euphorisch, denn er hatte in der vorletzten, er überlegte ganz kurz, genau, der vorletzten Lokalität eine Dame kennengelernt, die seinem Anforderungsprofil entsprach, sofern er das bis dato in der Lage war zu erkennen. Daran konnten auch die in der abschließenden Kneipe konsumierten Getränke, darunter mehrere Absacker, nichts mehr ändern. Er selbst hatte sich bei dieser Aktion dezent im Hintergrund gehalten, denn Schnaps, das wußte er seit seiner Schulzeit, war nichts für sein zartes Gemüt. Man hatte hernach oft Filmrisse, starke Kopfschmerzen, Brechreiz, bis hin zur Ausführung respektive Erleichterung, und ein unerträglich schlechtes Gewissen, wobei sich letzteres wegen der Filmrisse lediglich auf Ahnungen und Vermutungen stützen konnte. Also keinen Schnaps für ihn, er hatte sich mit zwei kleinen Pils begnügt, das zweite davon schlußendlich nicht einmal ausgetrunken. Die drei Damen allerdings waren, als man sich dann vor dem Frühzecher verabschiedete, so ziemlich knülle, und das, obzwar sie im allgemeinen und soweit ihm bekannt, sehr trinkfest waren. Babsi, mit bürgerlichen Namen wohl Barbara genannt, aber das hatte Herr Schweitzer zu eruieren vergessen, hielt sich noch am besten, war eventuell aber nicht von Beginn an dabeigewesen.

Simon Schweitzer hatte sich mittlerweile auf die Bettkante gesetzt und begann auf die drei aneinandergeklebten Blättchen, Tabak zu häufen. Er überlegte, wann er das letzte Mal an zwei aufeinanderfolgenden Tagen im Weinfaß war, aber es wollte ihm partout nicht einfallen. Er neigte sogar zu der Behauptung, daß dies noch nie vorgekommen sei, was durchaus als realistisch einzuschätzen war, zog es ihn doch nur sporadisch dorthin, von Stammkneipe konnte also überhaupt keine Rede sein. Morgen, beziehungsweise heute ja schon, würde es, falls alles nach Plan lief, diesbezüglich zu einer Premiere kommen, denn er hatte sich, wenn auch nur extrem vage, im Weinfaß mit Babsi verabredet. Und mit den anderen beiden Damen auch, notgedrungen. Man könne sich ja heute abend wieder treffen, so gegen zehn vielleicht, hatte er vorgeschlagen und dabei bewußt niemanden angesehen, da er zu diesem Zeitpunkt ein Vorpreschen seinerseits in Sachen Zielperson Babsi für vollkommen verfrüht hielt. Schließlich galt es ja, erst einmal unbekanntes Terrain zu sondieren. Möglicherweise lauerte irgendwo ein Nebenbuhler, vielleicht sogar ein zu Gewalttaten neigender Ehegatte. An solchen Klippen pflegte Herr Schweitzer nämlich elegant vorbei zu schippern. Ich bin doch nicht blöd, war von alters her eine seiner Devisen. Auf jeden Fall war seinem Vorschlag reger Zuspruch widerfahren. Das Leben an sich allerdings hatte ihn gelehrt, daß um diese Uhrzeit und in diesem Zustand getroffene Verabredungen nur bedingt Gültigkeit besaßen. Aber sich darob jetzt verrückt zu machen, war nicht seine Art.

Ohne jede Eile öffnete er das zigarettenschachtelgroße, schwarze, mit Perlmutt intarsierte Lackkästchen, das im Schein der Lampe silbrig matt glänzte. Er nahm den Brocken heraus und hielt das eine Ende in die Flamme seines Feuerzeuges. Dann begann er das erhitzte nepalesische Dipayal Charras auf den Tabak zu bröseln. Als er glaubte, ungefähr ein halbes Gramm verteilt zu haben, legte er den Rest wieder in das Kästchen zurück. Anmutig drehte er mit eingeübten Bewegungen seinen Gute-Nacht-Joint. Dann ging Herr Schweitzer zum Fenster und zündete ihn an. Der Sonnenaufgang war jetzt so weit fortgeschritten, daß er ein liebliches Orange auf den Horizontstreifen legte. Fasziniert beobachtete er das Farbenspiel. Die Sonne selbst konnte er nicht sehen. An dieser Seite des Zimmers gab es kein Fenster, da hinter der Wand das Nachbarhaus begann.

Simon Schweitzer war sehr zufrieden mit der Welt. Als der erste Tetrahydrocannabinol-Schub sein Hirn erreichte, legte er sich ins Bett und rauchte dort weiter. Erst als der letzte Rest des Joints seine Finger zu verbrennen drohte, drückte er ihn in einem billigen Reklameaschenbecher aus gelbem Plastik aus. Dann gab er sich restlos den Bildern hin, die das Gedächtnis aus seinem unendlichen Fundus hervorzauberte.

Es war kein Geräusch, das Simon Schweitzer weckte, sondern ein Gefühl, ein wohliges Gefühl in seinem Bauch. Obschon er die in einer Blumenampel über seinem Bett schwebende Muehlenbeckia als erstes erblickte, als er seine Augen öffnete, und sein Blick dann auf eine überdimensionierte Rosette aus Gipskalkmörtel wanderte, sah er doch nur Babsis Gesicht. Er setzte sich hin und schaute auf die Uhr neben dem Fenster. Es dauerte ein paar Sekunden, bis sich seine Augen an das relative Dunkel gewöhnt hatten und er die Zeiger erkennen konnte. Zwölf Uhr. High noon, Zeit zum Aufstehen. Er schwang die Füße herum, seine Glieder waren vom letzten Joint ein wenig schwer, und griff sich seinen Bademantel, der an der Tür hing. Wie jeden Morgen kontrollierte er zuvörderst den Anrufbeantworter. Keine Anrufe, das bedeutete, daß sein Chef ihn heute wahrscheinlich nicht mehr benötigte. Dann stellte er das Telefon wieder auf normale Lautstärke, ging in die Küche und kochte sich einen starken Kaffee. Daß sein Chef, der gleichzeitig die Position des Schwagers einnahm, seine Dienste heute nicht mehr in Anspruch nahm, erhöhte die Chance, diesen sonnigen Tag zu einem Volltreffer werden zu lassen. Heute abend würde er mit einem bißchen Glück Babsi sehen, und der Nachmittag ließe sich mit einem Spaziergang trefflich aufwerten. Außerdem war Laura, seine Wohnungsgenossin, oder Untermieterin, wie es wohl korrekt hieß, auf Arbeit, so daß er keine, mitunter doch arg anstrengende, Konversation mit ihr zu betreiben hatte und sich voll und ganz der ein oder anderen Tagträumerei hingeben konnte.

Noch im Bademantel stapfte er die vier Stockwerke hinunter und versorgte sich mit Post und abonnierter Frankfurter Rundschau. Wieder oben angekommen, war der Kaffee durchgelaufen, und Herr Schweitzer machte es sich gemütlich. Da er heute nicht einkaufen gehen mußte, das hatte er gestern erledigt, war auch genug zum Frühstück zu Hause. Er wollte gerade den Bericht über das einundzwanzigste Drogenopfer dieses Jahres anfangen, als ihm ein Traum der letzten Nacht einfiel. Soweit Simon Schweitzer die Einzelteile zusammensetzen konnte, spielte Babsi darin die Rolle einer wehrlosen Holden, die von durch die Gegend marodierenden Indianerhorden gefangen genommen worden war. Kurz vor dem endgültigen Dahinscheiden am Marterpfahl war dann Herr Schweitzer in voller Rittermontur mit Dreizack und

Morgenstern auf den Plan getreten und hatte seine Angebetete nach einer alsbald zu seinen Gunsten entschiedenen Schlacht heldenhaft aus den Klauen des Bösen befreit. So ein Schmarrn, dachte Simon Schweitzer und widmete sich mit aller Macht dem Drogentoten.

Später, als die Kraft der Sonne schon ein wenig nachgelassen hatte, ging Herr Schweitzer spazieren. Dabei kam er an einem der zahlreichen Kioske vorbei, welche in dieser Gegend auch Wasserhäuschen genannt werden, an dem sich einige Saufnasen tummelten. Erst als er schon fast vorüber war, erkannte er Jonathan, den Fensterputzer und grüßte ihn noch flugs durch ein erkennendes Kopfnicken, das auch freundlich erwidert wurde. Jonathan der Fensterputzer war in Sachsenhausen eine Institution. Die meisten Kleingewerbetreibenden gehörten zu seiner Klientel. Er war hier aufgewachsen und zur Schule gegangen. Simon Schweitzer hatte ab und an einige Sätze mit ihm gewechselt, wenn er sich etwas am Wasserhäuschen zu besorgen hatte oder ihm sonstwo begegnet war. Aber heute hatte er keine Lust auf einen kurzen Plausch mit ihm. Etwas später hatte er das Wohngebiet und den Verkehr hinter sich gelassen und war in die Kleingartenanlage eingetaucht, die sich am Hang entlang fast bis hoch zum Goetheturm erstreckte.

Zwei Gärten nach dem Clubhaus des hiesigen Wander- und Forstvereins e.V., auf dessen Gelände die Deutschlandflagge schlaff an einem alles überragenden Mast hing, waren mit weißer Farbe drei Flugzeuge nebeneinander quer über den Asphalt gepinselt. Vier oder fünf Autos mußten darüber hinweggefahren sein, als die Farbe noch nicht trocken war, denn verschmierte Reifenprofile waren bergab noch einige Meter weit zu sehen. Den Sinn, der hinter den Flugzeugen steckte, erkannte Herr Schweitzer erst ein paar Schritte weiter, als er an einem Mast, an dem wohl sonst eine Fahne wehte, eine ausgestopfte große Puppe baumeln sah. Sie war mit einem Strick um den Hals aufgehängt und trug eine Mütze mit dem Schriftzug Hessischer Ministerpräsident. Ein Schild, das in Brusthöhe angebracht war, vermittelte, warum der Landesfürst symbolisch gelyncht worden war. Bürger wehrt Euch – keine neue Startbahn, hieß es dort, und auf einem Bettlaken, das in das Geäst eines Apfelbaums gespannt war, wurde freundlich, wenn auch mit Ausrufezeichen, darauf hingewiesen, daß mit einer neuen Flugschneise der Schlaf aller Anwohner gar arg zu leiden habe. Simon Schweitzer, der vor nunmehr fast zweieinhalb

Dekaden selbst aktiv am Widerstand gegen die damalige Startbahn West beteiligt war, schmunzelte ob so viel Naivität. Er erinnerte sich an einige seiner damaligen Kampfgefährten, von denen er die meisten heute aus den Augen verloren hatte. Nur von zweien wußte er mit Gewißheit, daß sie noch in Sachsenhausen wohnten. Pfarrer Guntram Hollerbusch war einer davon. Sein sakraler Wirkungskreis war die Fritz-Kissel-Siedlung, und von Zeit zu Zeit fanden seine karikativen Aktivitäten in den Regionalsparten diverser Tageszeitungen Beachtung. Herr Schweitzer erinnerte sich, ihn kurz vor Weihnachten im Postamt am Südbahnhof getroffen zu haben, wo man ein paar Höflichkeitsfloskeln ausgetauscht hatte, denn viel hatte man nicht mehr gemeinsam. Der andere Hauptdarsteller auf der Sachsenhäuser Bühne des heldenhaften Widerstands war ein Klaus-Dieter Schwarzbach, der eine politische Laufbahn von ganz links nach ganz rechts absolviert hatte. Also klassisch. Mit einer energischen Handbewegung verscheuchte Herr Schweitzer den Gedanken an diese unangenehme Person. Es waren jetzt nur noch wenige Meter bis zu dem Gartenlokal am Fuß des Goetheturms, wo Simon Schweitzer mit niemand geringerem als sich selbst und der Natur verabredet war.

Nach dem Verzehr des zweiten Stückes Frankfurter Kranz ließ sich Herr Schweitzer die Rechnung bringen. Dann machte er sich auf den Heimweg, unter Einbeziehung eines Schlenkers über den Südfriedhof, der zwar mehr an Distanzmetern, aber auch ein Plus an Idylle beinhaltete. Außerdem zogen ihn Friedhöfe schon immer magisch an. Er wünschte sich manchmal, Grabsteine könnten sprechen und ihm die Biographie erzählen, die sich zwischen den zwei Daten der Inschrift verbarg. Als er vor einem Grab mit griechischen Schriftzeichen stand, fiel ihm der einzige Hellene ein, mit dem er näheren Kontakt hatte. Es war der Besitzer des Restaurants Beim Zeus und hieß mit Vornamen Theophilos. Der Nachname war so vielsilbig, daß er keinen Einlaß in Simon Schweitzers Gedächtnis gefunden hatte. Theophilos gehörte zur ersten Gastarbeitergeneration. Vom Ersparten hatte er seine Frau Roxane nachkommen lassen und Jahre später das Restaurant eröffnet, wo Simon Schweitzer und seine damaligen Mitstreiter in Sachen Startbahn West ihre Lagebesprechungen abgehalten hatten und mit immensem Blutvergießen die Regierung stürzten, wenn sie nicht gerade draußen im Hüttendorf den Widerstand vor Ort unterstützten. Komisch, dachte Simon Schweitzer, daß ich schon wieder in die Vergangenheit abdrifte. Er nahm sich vor, sich mal wieder Beim Zeus blicken zu lassen und zu testen, ob das Essen an Qualität eingebüßt hatte.

Das mit dem Mittagsschlaf wurde nichts mehr. Herr Schweitzer machte dafür das späte Aufstehen und die Vorfreude auf Babsi verantwortlich. Außerdem fand er es angemessen, sich einfach nur so geschlagene zwei Stunden auf dem Bett zu lümmeln. Aber genug ist genug, sagte er sich und stand auf. Das Telefon läutete. Simon Schweitzer nahm ab und ließ sich von Laura mitteilen, daß er mit dem Abendessen nicht auf sie warten brauche, es würde spät werden. Auch gut. Gemächlich schlenderte er in die Küche und suchte einen ihm genehmen Sender im Radio. Auf keinen Fall so einen neumodischen Kram wie HipHop oder Rap. Dann suchte er sich aus Kühlschrank und Obstkorb die Zutaten für einen Salat zusammen. Aus Olivenöl, kaltgepreßt, Balsamico-Essig sowie frischen und getrockneten Kräutern zauberte er eine Vinaigrette, die ihm das Wasser im Mund zusammen laufen ließ.

Eine Stunde später rülpste er laut und vernehmlich. Er war ja alleine. Über den Rest des Salates spannte er eine Frischhaltefolie und schrieb einen Zettel für Laura, welcher auf die Köstlichkeit im Kühlschrank hinwies. Dann begann er, sich für den Abend in Schale zu werfen. Viele seiner Freunde und hauptsächlich Laura sagten ihm einen abscheulichen Geschmack in Kleiderfragen nach. Er selbst aber konnte nichts abstoßendes an einer Kombination aus brauner feingerippter Cordhose, blauschwarzem kanadischen Holzfällerhemd aus Flanell, dunkelbraunen Gesundheitsschuhen Größe 46 mit rutschfester Sohle und einen zur Feier des Tages keck um den Hals geschlungenen roten Seidenschal finden. Letzteres war zugegebenermaßen Imponiergehabe in Reinkultur.

Bis zur lockeren Verabredung im Weinfaß war noch reichlich Zeit, und Herr Schweitzer beschloß, zur Auflockerung noch eine, gegebenenfalls auch zwei Apfelweingaststätten aufzusuchen. Mal schaun, wen man so traf.

Später, er war niemandem von Belang begegnet, machte er sich wohlgemut auf den Weg ins Weinfaß, welches nur ein wenig mehr als einen halben Kilometer entfernt war. Er hätte auch zwei Stationen mit der Bahn fahren können. Da er sich aber ansonsten keiner sportiven Aktivität hingab, befand er, daß die Fortbewegung zu Fuß ihm ganz gut stünde. Außerdem war er als Gemütsmensch dem Dahinschlendern in der Abenddämmerung sehr zugetan. Junge Damen und Herren in Begleitung oder aber auf der Suche danach bevölkerten die Trottoirs. Man war diesen Sommer wieder sehr luftig angezogen, interpretierte Herr Schweitzer die aktuelle Mode auf seine Weise.

Das Weinfaß war leer bis auf die Wirtin. „Ach, der Herr Schweitzer. Lange nicht gesehen."

„Quatsch. Gestern", gab Simon Schweitzer einsilbig zurück, was aber keineswegs mürrisch klang.

Bertha, so ihr Name, war auch keineswegs eingeschnappt, sondern trug unbeeindruckt mit Kreide auf einer weinblattförmigen Tafel eine Portion schwarze Oliven zu drei Euro ein. Simon Schweitzer ging die Tafel durch, doch hatte er weder Appetit auf Schafskäse, noch auf Peperoni oder Schmalzbrot.

„Nichts los heute", erklärte Simon Schweitzer die Abwesenheit von Gästen.

„Bei dem Wetter tummelt sich das Volk in den Gartenlokalen. Kann ich gut verstehen. Würde ich genauso machen." Bertha kam jetzt zu ihm an das als Tisch genutzte Weinfaß aus Eichenholz, wovon es in der winzigen Kneipe nur noch zwei weitere gab. Barhocker gab es keine. Auch am Tresen konnte man nur stehen. „Was magst du denn?"

Simon Schweitzer zuckte mit der Schulter. Er war kein Weinkenner. Mit Müh und Not und etwas Geduld konnte er einen Rot- von einem Weißwein unterscheiden. Bertha kannte das und deutete auf eine weitere Tafel, welche den Wein der Woche aus Südafrika offerierte.

Haut Cabrière Pinot Noir aus Franschhoek, sehr dicht am Gaumen und seidiger Abgang, las Herr Schweitzer mit Befremden und fragte sich, wie man wohl einen Abgang beschreiben würde, bei dem der Abgänger einfach besoffen umkippte. „Klingt gut. Den probier ich mal."

„Den hast du gestern schon probiert. Da hat er dir gemundet. Ich geh mal davon aus, daß der Wein sich über Nacht nicht grundlegend geändert hat."

„Ich schließe mich den Worten meiner Vorrednerin vorbehaltlos an. War heute schon jemand hier?" leitete Simon Schweitzer betont unverfänglich über.

„Nein. Du bist der erste. Warum fragst du? Erwartest du jemanden?" Bertha stellte das Weinglas auf das Faß. Fragen stellen und Zuhören waren ihre herausragenden Eigenschaften.

Nicht umsonst sagte man ihr nach, daß sie über alle Vorgänge auf dem Berg, so die landläufige Bezeichnung für die Bungalowsiedlung auf dem Lerchesberg, wo die Frankfurter Hautevolee sich eingerichtet hatte, Bescheid wisse.

„Nicht direkt. Später vielleicht", gab Herr Schweitzer keinerlei Informationen preis. So plump ließ er sich nicht aus der Reserve locken. Schließlich war er ja vom Fach, sozusagen. Bertha tat, als wäre nichts gewesen und legte passend zur Provenienz des Weines Musik der Gruppe Ladysmith Black Mambazo auf.

Ein weiteres Glas Rotwein später erschienen zwei der drei Damen von gestern. Für Simon Schweitzer insofern eine große Enttäuschung, da es sich bei dieser Zweidrittelmehrheit um den völlig bedeutungslosen Teil des gestrigen Trios handelte. Wo war Babsi? War ihr etwas zugestoßen? Hätte er, Simon Schweitzer, wäre er anwesend gewesen, das Unglück verhindern können?

Damit nicht genug, schenkten sie ihm auch keinerlei Beachtung. Er war aufs Schärfste brüskiert, zumal Karin ihn ja seit mehr als zwei Dekaden kannte. Gedanklich bastelte er an einem stilvollen Abgang. Dabei zog er einen Seidigen, wie den des Pinot Noirs, in Betracht. Trotzdem hörte er mit einem halben Ohr dem lautstarken Monolog der Dame zu, von der er wußte, daß sie mit eben jenem Frankfurter Abgeordneten Klaus-Dieter Schwarzbach verheiratet war, der vor langer Zeit zu seinen politischen Verbündeten gezählt hatte. Das war allerdings vor dessen Politikerkarriere gewesen. Die Wortwahl von Karin allerdings hatte heute eher rustikalen Charakter.

„Dieses Arschloch, dieses blöde. Was glaubt der eigentlich, wer er ist. Der Kaiser von China, oder was? Wenigstens mal anrufen hätte er können. Aber nein, der Herr Abgeordnete ist ja wichtig. Zwei Stunden habe ich das Essen warm gehalten. Und ich blöde Kuh eß nichts, weil ich denke, jeden Augenblick könnte er durch die Tür schneien und der Abend wäre gerettet. Wegschmeißen hab ich's können. Zum Schluß war alles nur noch Matsch, der ganze Fraß. Arschloch, blödes."

„Kommt das öfter vor?" fragte die andere Dame mit sanfter, um Ausgleich bemühter Stimme.

Wo ist Babsi, fragte sich Herr Schweitzer zum wiederholten Mal, traute sich aber nicht, sich ins Gespräch zu bringen, zumal man ihn weiter ignorierte. Halt suchend blickte er zu Bertha, die aber damit beschäftigt war, zwei Gläser Rotwein vor die Damen auf den fast dreihundertjährigen Eichentresen zu stellen, ohne daß Simon Schweitzer bemerkt hatte, daß eine Bestellung aufgegeben worden war.

Karin, Gattin des vermeintlichen Arschlochs, antwortete, jetzt schon etwas versöhnlicher gestimmt: „Nein, eigentlich nur ganz selten. Aber bisher hat er vorher immer angerufen. Ich hab ja auch Verständnis dafür. Bei seiner Position kann es halt schon mal spät werden. Überraschungen sind immer drin. Ach, Maria."

Soso, Maria also, dachte Simon Schweitzer und räusperte sich zaghaft, aber von Erfolg gekrönt. Die Damen drehten sich zu ihm um.

„Ach, schau mal. Ist das nicht Gustav, der von gestern abend?" meinte Maria leutselig.

„Simon. Simon Schweitzer", verbesserte Simon Schweitzer, nahm sein Glas und bewegte sich Richtung Leutseligkeit, fest entschlossen, sich nicht durch Marias Vergeßlichkeit aus der Fassung bringen zu lassen.

„Ja richtig. Simon. Wie geht's dir denn heute?" Karin war nun endgültig von ihrem unzuverlässigen Gatten abgelenkt. „Hast du auch einen Kater?"

„Nur einen ganz kleinen", schummelte er ein wenig, denn er pflegte sich nicht mehr zu betrinken. Aber dieses kleine Zugeständnis würde möglicherweise die Kommunikation fördern, überlegte er schelmisch.

„Ich hab mich miserabel gefühlt", leistete Maria einen Konversationsbeitrag.

„Das kannst du laut sagen", bestätigte Karin Schwarzbach. „Aber man soll mit dem anfangen, womit man aufgehört hat." Sie hielt ihr Glas hoch und man prostete sich zu. Auf die Gesundheit.

Herr Schweitzer hatte unterdes Karins Gesichtszüge mit wissenschaftlicher Akribie analysiert und war zu dem abschließenden Urteil gekommen, daß sie wohl täglich mit den Alkoholika fortfuhr, die am Abend vorher den Abschluß gebildet hatten. Tiefe Furchen auf der Stirn und dazu jede Menge Schminke über aufgedunsenem Gesichtsfleisch zeugten von einem freudlosen Dasein. Kein Wunder, daß Herr Schwarzbach nicht nach Hause gekommen war. Das ist nicht fair, überlegte Simon Schweitzer weiter, vielleicht blieb ihr bei diesem Ekel von Gatten auch kaum eine andere Wahl als die tägliche Flucht in eine Traumwelt. Mit

Klaus-Dieter war damals der Kontakt schnell abgebrochen, als die allumfassende Niederlage der Startbahngegner festgestanden hatte.

Die eingetretene Pause nutzte Herr Schweitzer geschickt: „Wo ist eigentlich die andere Dame von gestern? Wie hieß sie noch gleich?"

„Babsi. Meine Nichte. Die ist heute abend nach Detroit geflogen. Hat für ein Jahr eine Au-pair-Stelle angenommen. Englisch lernen, so richtig native. In Bay City, irgend so ein kleines Nest am Huronsee."

Simon Schweitzer verlor nicht den Boden unter den Füßen. Schließlich war er ja eine gestandene Persönlichkeit von sechsundvierzig Jahren. Da mußten schon andere Geschütze aufgefahren werden, um ihn in seinen Grundfesten zu erschüttern. Nein, nur weil so eine dusselige Kuh sein intensives Werben abschlägig beschieden hatte, geriet die Welt nicht aus den Fugen.

„Noch so ein Kabinett sauf-le-blanc", bestellte er eloquent. Er werde sich fürderhin einen Dreck ums weibliche Geschlecht scheren.

„Aber du hast doch noch ein fast volles Glas vor Dir", bemerkte Bertha irritiert. „Außerdem hattest du einen Pinot Noir, keinen Cabernet Sauvignon."

„Ach, habe ich gar nicht bemerkt." Simon Schweitzer errötete leicht, was aber dank der diffusen 25-Watt-Beleuchtung unbemerkt geblieben war. Er hatte aber jegliches Interesse an diesem Abend verloren. Routiniert brachte er den seinen restlichen Wein begleitenden Small talk über die Runden und empfahl sich unspektakulär.

Vertrottelte Teenager bevölkerten noch immer händchenhaltend und bekloppt grienend die Trottoirs, als Simon Schweitzer nach Hause ging. Außerdem könnten die Weiber ruhig mal ihre Titten bedecken, befand er. Zudem beschloß er, das Weinfaß bis auf weiteres zu meiden.

Der lustige Seehund hing am Bord, als Herr Schweitzer nach Hause kam. Nach Himalaja-Zeder riechende Räucherstäbchenschwaden empfingen ihn. Lauras Zimmertür stand halb offen. Psychedelische Klänge drangen in sein Ohr. Eine Tabla versuchte gerade im harmonischen Wettstreit mit einem Sitar die Herrschaft in einer Band zu übernehmen. Simon Schweitzer schlich sich vorbei. Aus den Augenwinkeln konnte er seine Untermieterin von der

Wirklichkeit entrückt, im Schneidersitz auf einer politisch korrekt auf einem Basar für gefallene Jungfrauen erworbenen Patchworkdecke sitzen sehen. Sie hatte ihre indische Phase.

Simon Schweitzer war es gelungen, unbemerkt in sein Zimmer, das direkt an Lauras grenzte, zu gelangen. Nur noch mit Unterhose bekleidet, betrachtete er sich ausgiebig im Innenspiegel des massiven Biedermeier-Kleiderschrankes, ein Erbstück seiner Mutter. Geschmack hatte sie, das mußte man ihr lassen.

Nein, ein Alpha-Männchen war er nicht. Dem stand nicht nur der Bauch im Wege. Der ganze Körper hatte nicht die rechte Proportion. Schlaffe Schultern, dünne, unmuskulöse Arme und Beine. Er versuchte es im Profil. Doch nur ganz kurz, denn was er sah, gemahnte ihn stringent an einen schauerlichen Kataklysmus. Herr Schweitzer fragte sich, welcher Gewichtsklasse im Boxsport seine hundert Kilo wohl zuzuordnen seien. Halbschwergewicht oder war es schon Superschwergewicht? Auch war ihm völlig schleierhaft, was Frauen, selten genug, dazu bewog, mit ihm intim zu werden. Vielleicht roch er ja gut.

Abrupt ließ er sein Spiegelbild im Stich und legte sich niedergeschlagen ins Bett. Auf einen Joint verzichtete er, damit wäre auch nichts mehr zu retten gewesen.

Der Schlaf hatte das Thema Babsi, welches kein Thema geworden war, fast restlos ausgelöscht. Simon Schweitzer war früh aufgestanden. Auf dem Weg zum Bäcker grüßte ihn ein ehemaliger Kollege per Klingelzeichen. Er hatte große Mühe, im Führerhaus ein Gesicht auszumachen, zu sehr spiegelten sich die Hausfassaden in den Scheiben. Sicherheitshalber legte er sein freundlichstes Gesicht auf und grüßte zurück. Nicht einmal zwei Jahre waren vergangen, seit er seine letzte Schicht auf der 14 gefahren war. Zehn Jahre lang, immer dieselbe Strecke. Die Namen der Haltestellen verfolgten ihn immer noch bis in den Schlaf. Oft hatte er sie durchsagen müssen, wenn die automatische Bandansage wieder mal verrückt gespielt hatte. Aber U-Bahnfahrer wäre nichts für ihn gewesen, dagegen hatte sich Herr Schweitzer immer gewehrt, auch wenn in den neuen Wagen die Heizungen viel besser funktionierten. In sehr kalten Wintern hatte er erbärmlich gefroren. Oft genug hatte man ihm einen Wechsel angeboten, aber er blieb seiner Linie 14 treu. Oberirdisch spielt sich nun mal das Leben ab, hatte er dann immer gesagt. Aber später, letztes Jahr, hatte er plötzlich keine Lust mehr auf seine Arbeit gehabt. Diesen Umstand schrieb Simon Schweitzer einer Krise zu, die mehr so allgemeiner Natur war. Dann kam zum rechten Zeitpunkt der Aktiengewinn, der aus ihm einen andert-halbfachen Millionär machte, und er entledigte sich Knall auf Fall seiner Lebensstellung. Millionär, wie komisch das klang, wenn man selbst einer war.

Als er vom Brötchenholen zurück war, vernahm er Geräusche im Badezimmer. Er setzte Kaffee auf, preßte Orangensaft aus und deckte den Tisch. Dann schwebte Laura zur Tür herein und küßte ihn auf die Stirn. Der Badezimmeraufenthalt hatte seine Spuren hinterlassen, respektive die des Alterns vernichtet. Sie sah blendend aus.

„Hallöchen. Guten Morgen mein Brummbär."

Herr Schweitzer fand nicht, daß er ein Brummbär sei. Auch nicht im Gegensatz zu seiner Untermieterin, die allerdings, seit sie von ihrer indischen Erleuchtungsreise zurückgekehrt war, permanent extrem gut gelaunt war. Gefährlich gut gelaunt, dachte Simon Schweitzer, der sich schon fast an ihre vormaligen, fast stündlichen Stimmungswechsel gewöhnt hatte. Dabei hatte es lediglich ein zweiwöchiger Badeurlaub am Kerala Beach werden sollen, von dort war auch die Postkarte gekommen. Wie sie es dann allerdings in der kurzen Zeit noch nach Rishikesh am Ganges in das Fahrwasser dieses Wanderpredigers schaffen konnte, blieb ihm ein Rätsel. Guru, überlegte Simon Schweitzer, nicht Wanderprediger, Guru sagt man wohl dazu. Aber, und das mußte er unumwunden zugeben, war ihm die jetzige Phase Lauras um einiges sympathischer als ihr vorangegangener Trip mit der Makrobiotik. Obst und Körner zum Frühstück, Körner mit Obst zum Mittagessen und Obst und Körner als Abendbrot. Jedenfalls an den Wochenenden. Herzhaft, um sich zu vergewissern, daß es keine Halluzination war, biß er in das dick belegte Leberwurst-brötchen.

„Hallöchen, selber Brummbär", ging Simon Schweitzer auf das Spiel ein.

„Danke übrigens für den Salat. War echt lecker."

„Nichts zu danken, gern geschehen."

Kleine Pause.

„Du, sag mal, die Wände..."

„Ja?"

„Kann man da richtig große Löcher reinbohren, damit die so richtig große Haken halten? Ich meine, wegen dem Alter des Hauses." Unschuldig sah sie ihn an und strich eine renitente blonde Strähne ihres Ponys hinter das Ohr.

Aha, dachte Simon Schweitzer, jetzt kommt's. Jede Faser seines Körpers befand sich in Alarmbereitschaft. Möglicherweise hatte ihr irgendein völlig abgedrehter, Opium rauchender indischer Ordensträger der Parapsychologie des Feng Shuis wegen geraten, einen Hundert-Tonnen-Eisenträger im Zimmer aufzuhängen. Er bemühte sich, so neutral als irgend möglich zu klingen: „Warum fragst du?"

„Na ja, ich hab mir aus Indien eine Hängematte mitgebracht. Und ich dachte mir, daß..."

„Na klar", fiel ihr Simon Schweitzer, dem ein großer Stein vom Herzen gefallen war, ins Wort. „Das ist eine prima Idee. Ist bestimmt irre gemütlich und cool." Mit seiner erlesenen Wortwahl wollte er beiläufig darauf hinweisen, daß er nicht der verknöcherte Alte sei, wie man allgemein wohl vermuten könnte, sondern daß er sich durchaus einer juvenilen Sprache und folglich auch Denkweise, bedienen könne. Was allerdings die Hängematte betraf, so fand er es überhaupt nicht gemütlich, zwischen Seilen eingeschnürt in der Weltgeschichte rumzuschaukeln bis einem so schlecht war, daß man sich wünschte, nie geboren worden zu sein. Und außerdem bestand immer die Möglichkeit herauszufallen und sich das Genick zu brechen. Doch fuhr er fort: „Ich geh gleich mal zu Güney, der hat bestimmt so eine Bohrmaschine, der hat mir hier auch den Herd angeschlossen. Der kann das, und dann geht das hier ruckzuck, und du liegst in der Hängematte."

Jetzt war es an Laura, skeptisch zu sein, denn so aufgeräumt war Simon Schweitzer selten. Na ja, dachte sie dann aber, Hauptsache, das mit der Hängematte klappt, und schenkte frischen Kaffee nach.

Herr Schweitzer hatte gerade sämtliche Einkäufe für das Wochenende erledigt, als das Telefon klingelte. Es war sein Schwager Hans Hagedorn, der wissen wollte, was er, Simon Schweitzer, über Klaus-Dieter Schwarzbach wisse. Man munkelte, daß er früher mit besagtem Herrn befreundet gewesen sei. Befreundet sei übertrieben, erwiderte er. Ob er trotzdem mal vorbeikommen könne, so am späten Nachmittag vielleicht. Da Simon Schweitzer nichts vorhatte, war er einverstanden. Außerdem hatte er ja diese

Woche erst einen Tag gearbeitet, so konnte er seinem Chef diesen Wunsch schlecht abschlagen.

Erst nachdem er aufgelegt hatte, fragte er sich, was um alles in der Welt er über Klaus-Dieter wissen könnte, was nicht sowieso schon jedermann wußte. Immerhin handelte es sich bei Schwarzbach um eine der schillerndsten Figuren der rhein-mainschen Politszene. Magistratsmitglied mit unverhohlener Ambition auf den Posten des Oberbürgermeisters, da war man schon wer. In den Augen Simon Schweitzers aber, sonst eher ein Feind harter Worte, war Klaus-Dieter Schwarzbach das größte Arschloch auf Gottes geweihtem Erdenrund. Er sah auf die Uhr und stellte fest, daß noch sehr viel Zeit war. Als vorbeugende Maßnahme gegen einen Herzschlag mit anschließendem Stillstand legte sich Simon Schweitzer noch einmal ins Bett. Auf Grund des Termins mit seinem Schwager bestand nämlich die Fährnis, auf seinen Mittagsschlaf gänzlich verzichten zu müssen. Kurz vor dem Hinwegdösen fragte er sich noch, warum Hans überhaupt wissen wollte, ob er etwas über diesen Schwarzbach wußte.

Gleichwohl Laura die Tür ganz leise ins Schloß hatte gleiten lassen, war Herr Schweitzer davon wach geworden. Schlaftrunken stand er auf und ging in die Küche. Es durstete ihn nach einer Limonade. Auf einem Zettel stand geschrieben, daß Laura in etwa zwei Stunden zurück sei. Der Geruch nach Himalaja-Zeder hatte sich vollständig verflüchtigt.

Simon Schweitzer packte den Rest eines alten Brotlaibes in eine ökologisch korrekte Jute- statt Plastiktasche. Er klingelte beim Nachbarn Güney und bat, doch in zwei Stunden mal bei Laura vorbeizuschauen, sie brauche eine fachkundige Hand bezüglich zweier Bohrlöcher. Vor einem Kaufhaus auf der Schweizer Straße warf er einem verwahrlosten Bettler eine Euromünze in den dafür vorgesehenen Pappkarton. Dieser bedankte sich artig und Simon Schweitzer dachte, daß es doch noch Anstand auf der Welt gibt.

Dann ging er noch kurz über den Flohmarkt und feilschte wie ein arabischer Teppichhändler um eine kleine bronzene Ganesha-Figur. Zu guter Letzt hatte er den Preis von zwanzig auf zehn Euro heruntergehandelt und damit nur knapp mehr als das Doppelte bezahlt, was er dafür in jedem x-beliebigen, einigermaßen gut sortierten Asia-Shop hätte hinblättern müssen. Darüber war er sehr ins Schwitzen geraten. Mit einem Taschentuch wischte er sich die Stirn. Dann nahm er die nächste Treppe zum Main hinunter. Es ist aber auch wieder heiß heute, sinnierte er, obzwar das Thermometer gerade mal dreiundzwanzig Grad anzeigte.

Er setzte sich in den Schatten auf die ins Wasser abfallenden Stufen neben der Alten Brücke und entnahm seiner Jutetasche den Laib Brot. Sofort kamen Enten und Gänse angeschwommen. Ein paar Schwäne mit ihren graugefiederten Jungen hielten sich im Hintergrund, beobachteten die Szene skeptisch von der nur wenige Meter entfernten Maininsel aus, auf der einstmals Fischer ihre Netze flickten und ihre Nachen über Nacht vertäuten.

Herr Schweitzer bröselte das Brot in mundgerechte Stücke und verteilte es an seine temporären Freunde, wobei er gewissenhaft darauf achtete, auch das genante, das weniger forsche Federvieh in den hinteren Reihen zu versorgen. Mit lautem Geschnatter wurde ihm gedankt.

Ein sonnengebräunter, dynamischer junger Mann hielt an und stellte den Kinderwagen, Modell Sport Super SL, so, daß sein Sprößling der Fütterung zuschauen konnte. Dann beugte er sich herab, zeigte auf das Treiben und sagte: „Schau mal, Sebastian, gagagagaga.“ Filius, der trotz der Wärme eine wollene Mütze mit hellblauer Bommel trug, bewegte den Unterkiefer, brachte aber kein Wort heraus. Dafür setzte Papa die Unterhaltung fort: „Gagagagaga. Da Sebastian, das sind lauter Gagas.“

Herr Schweitzer drehte sich um und blickte dem Herrn direkt ins Gesicht. Es war reine Neugier. Der Mann erwiderte seinen Blick mit einem herzerfrischenden Lächeln, das Simon Schweitzer dazu einlud, an seinem Vaterglück teilzuhaben. Da aber gerade jetzt Sebastian aufgeregt mit beiden Ärmchen fuchtelte, mußte die stumme Kommunikation zwischen den beiden nicht wesensverwandten Männern abgebrochen werden. Simon Schweitzer widmete sich wieder seiner Fangemeinde. „Gagagagaga.“

Als auch die letzte Brotkrume verteilt war, stand er auf und ging zurück zum Eisernen Steg. Die Flohmarkthändler hatten begonnen, ihre Stände abzubauen, und eine Reinigungskolonne rückte mit blauen Müllsäcken aus. Die Wohnung seiner Schwester und seines Schwagers befand sich direkt gegenüber des Aufgangs zum Eisernen Steg. Früher waren im Erdgeschoß die Büroräume der Detektei Hagedorn untergebracht, die zwei Generationen lang Hagedorn & Sohn hieß, nun aber auf das Sohn verzichten mußte. Außer einer Fehlgeburt vor nunmehr zwanzig Jahren war nichts gewesen. Nach dem Unfall und der Amputation von Hans' rechtem Bein knapp unterhalb der Gesäßbacke mußten die Büroräume aufgegeben werden – ein Mann, der sich auf Krücken fortbewegt, ist halt wenig für unauffällige Beschattung prädestiniert. Ein Italiener hatte die Gelegenheit beim Schopf gepackt und ein Restaurant an dieser strategisch günstigen Stelle eröffnet. Die Detektei, oder das was davon übrig geblieben war, wurde jetzt vom Wohnzimmer aus geführt. Hagedorn machte, nachdem man die Sekretärin entlassen hatte, die wenige Büroarbeit, Simon Schweitzer und seine Schwester waren mit angelegentlichen Observationen beschäftigt.

Herr Schweitzer klingelte, und es wurde umgehend geöffnet. Vor der Wohnung im zweiten Stock mußte er die Schuhe ausziehen und in ein Paar bereitstehende Puschen schlüpfen. Das war schon immer so, wegen des Parkettbodens.

„Hallo Simon, das bist du ja schon", wurde er von seinem Schwager leutselig begrüßt, der eine rostbraune Strickjacke mit Ärmelschoner trug. Er schaute sich im Flur und dann im Wohnzimmer um. Vergeblich suchte er nach Zeichen von Veränderung, das tat Herr Schweitzer jedesmal, wenn er hier zu Besuch war. Er setzte sich auf den kirschhölzernen Fauteuil, auf dem er immer saß. Hans hatte gegenüber auf der Couch unter dem goldgerahmten unvermeidlichen Röhrenden Hirsch Platz genommen, die Krücken neben sich gelehnt, dort, wo sonst seine Frau saß.

Simon Schweitzer fand seinen vier Jahre älteren Schwager nett, aber das war auch schon alles, was er über ihn zu sagen wußte. Es ging hier sehr bieder zu. Wenn er Langeweile und Mittelmaß hätte beschreiben müssen, hier gab es ein Füllhorn davon. Vom Fransenteppich über das silbern gerahmte Hochzeitsfoto bis hin zum mit Goldbrokat gerahmten Sinnspruch auf schwarzem Samt – docendo discimus (seine Großmutter war Lehrerin) – war alles vertreten, was das Spießbürgerherz begehrte. Hier fühlte sich Herr Schweitzer immer wie der letzte Hippie von Haight Ashbury.

„Kaffee? Ich habe gerade einen aufgesetzt. Angie ist bei ihrem Vater im Heim."

Schmerzlich wurde Simon Schweitzer wieder einmal bewußt, daß Angelika, seine Schwester, oder besser gesagt, Halbschwester, ihren Vater wenigstens kannte. Vater unbekannt, stand hingegen bei ihm in der Geburtsurkunde. Ihre Mutter hatte ihr Wissen mit ins Grab genommen, obwohl er in der Adoleszenz im Zuge einer

Selbstfindungsphase einiges daran gesetzt hatte, das Geheimnis zu lüften.

Hans stellte eine Schachtel mit Würfelzucker auf den Tisch, bei losem Zucker fielen immer einige Körnchen daneben. Dann fing er übergangslos zu erzählen an: „Frau Schwarzbach war heute früh bei mir, völlig aufgelöst. Ihr Mann sei über Nacht ausgeblieben. Ohne anzurufen. Das habe er vorher noch nie gemacht. Die Polizei habe ihr gesagt, man werde sich darum kümmern, aber erfahrungsgemäß tauchten erst so kurz vermißte Personen schon bald wieder auf. Sie habe schon sämtliche Freunde und Parteigenossen, deren Telefonnummer sie hatte, angerufen, ob jemand etwas wüßte. Nichts. Man habe ihr aber geraten, nicht die Pferde scheu zu machen, ihr Mann hätte bestimmt etwas dagegen, soviel Aufhebens um die Sache zu machen. Dann muß sie wohl ein altes Telefonbuch in die Hände bekommen haben. Du weißt, eines aus der Zeit als wir uns noch klotzige Reklame leisten konnten, und rief mich an, ob sie vorbei kommen könne. Ich hab sie dann auch erst einmal versucht zu beruhigen. Aber sie hat gleich Geld ausgepackt, ein ganzes Bündel als Vorschuß und mich angefleht, ich soll ihr ihren Klaus-Dieter wiederbeschaffen. Was hätte ich denn machen sollen? Du weißt, der Firma geht's nicht besonders. Angie hat gesagt, ihr beide kennt euch von früher."

„Das stimmt schon. Aber ich glaube nicht, daß ich viel mehr über unseren Herrn Abgeordneten sagen kann als das, was allgemein bekannt ist. Und wenn tatsächlich etwas passiert sein sollte, was ich, mit Verlaub, nicht glaube, dann ist das ein Fall fürs BKA oder LKA, auf jeden Fall mal nichts für uns. Übrigens habe ich Karin, Frau Schwarzbach, gestern erst gesehen, da hat sie noch ziemlich auf ihren Gatten geschimpft." Hagedorn spielte mit einem Kugelschreiber und wartete darauf, sich Notizen machen zu können.

„Nein, das ist schon klar. Ich dachte ja auch nur, vielleicht gibt's da ja eine andere Frau und du wüßtest etwas darüber. Schließlich bist du doch immer auf dem laufenden, was sich in Sachsenhausen so tut."

Simon Schweitzer hatte das Gefühl, seit dem schweren Unfall neige sein Schwager zu blindem Aktionismus und wolle die Energie, die er selbst nicht mehr durch Arbeit abbauen konnte, auf seine Frau und Simon Schweitzer übertragen. Herr Schweitzer bemühte sich, nicht schulmeisterlich zu klingen, als er sagte:

„Wenn ein Mann eine Nacht nicht nach Hause kommt, ist fast immer eine Frau im Spiel. Oder Alkohol. Oder beides. Ich wette, heute abend ist Klaus-Dieter wieder zu Hause, und alles ist gut."

Sein Schwager seufzte. „Du weißt also nichts über ein Gspusi oder so etwas? Es wäre immerhin unser Spezialgebiet."

„Nein, leider nicht. Allerdings treibt sich der Herr seit seiner Wahl in den Römer nicht mehr in Sachsenhausens Kneipenwelt rum. Ist sich wohl zu fein dafür." Als Herr Schweitzer merkte, daß Hans noch mehr in sich zusammensackte, fügte er schnell hinzu: „Aber ich kann mich natürlich mal umhören."

Die Miene seines Schwagers hellte sich ein wenig auf. „Ja, mach das." Dann kramte er in seinem Portemonnaie und fischte einen Hunderter heraus. „Hier nimm, Spesenvorschuß." Eifrig notierte er den Betrag, froh, Block und Stift nicht völlig umsonst bereitgelegt zu haben.

Simon Schweitzer nahm das Geld und steckte es in die Hosentasche. Es war die übliche Art der Bezahlung für seine kleinen Aushilfstätigkeiten. So kam er ganz gut über die Runden, mit Mieteinnahmen und Zinsen der jetzt fest angelegten Aktiengewinne.

Der Kaffee war ausgetrunken, und Herr Schweitzer hatte das Bedürfnis, nach draußen zu gehen, der bedrückenden Enge zu entfliehen. Wenn seine Schwester nicht da war, gab es zwischen Hans und ihm kaum Berührungspunkte. Angie war das bindende Glied. Fehlte es, wollte keine rechte Herzlichkeit aufkommen.

„Tja, dann geh ich mal wieder."

„Ja, laß von dir hören, sobald du etwas in Erfahrung gebracht hast."

„Klar, mach ich." Simon Schweitzer war schon aufgestanden und reichte seinem Schwager die Hand über den Tisch. „Bleib ruhig sitzen."

Als er die Puschen gegen seine Straßenschuhe getauscht hatte und wieder auf dem Gehweg stand, atmete er tief durch. Er würde Hans heute abend noch mal anrufen und wenn Magistratsmitglied Klaus-Dieter Schwarzbach dann immer noch nicht aufgetaucht sein sollte, würde er halt doch wieder ins Weinfaß gehen müssen. Wenn jemand etwas wußte, dann die Eiserne Bertha. Informationsbeschaffung bei gemütlichem Geplauder. Seine Stärke.

Zu Hause stand die Tür zu Lauras Zimmer offen. Neugierig spähte Herr Schweitzer hinein. Seine Untermieterin lag selig schlummernd in einer regenbogenfarbenen Hängematte aus Baumwolle, die von Wand zu Wand gespannt war und an beiden Enden noch mit je einem starken Hanfseil verlängert war. Er schlich hinein und stellte den elefantenköpfigen Ganesha auf Lauras Tisch. Jeden Augenblick erwartete er ein lautstarkes Zusammenbrechen der Hängemattenkonstruktion, bei der die Wände eingerissen wurden, die Zimmerdecke herunter kam und ihr beider junges Leben schmerzlos ausgelöscht wurde. Aber nichts dergleichen geschah, Güney schien gute Arbeit geleistet zu haben.

Simon Schweitzer schwankte zwischen Spaziergang und Bett. Er entschied sich für letzteres, nahm allerdings einen Goethe mit, er konnte doch nicht schon wieder schlafen. Nach etwa drei Seiten Dichtung und Wahrheit konnte er.

Herr Schweitzer war noch ganz benommen und schlafwarm. Aus Lauras Zimmer konnte er orientalische Sphärenklänge vernehmen, als er über den Flur in die Küche ging. Am Spülbecken erfrischte er sich mit kühlem Wasser. Dann schmierte er sich ein Schmalzbrot, zu mehr konnte er sich im Augenblick nicht aufraffen.

Die Tür ging auf. Laura, offensichtlich vom Laufsteg gefallen, stand dort und sagte: „Mach dir keine Sorgen um mich, ich gehe mich amüsieren. Falls ich in einem Monat noch nicht zurück sein sollte, ruf bitte meine Mami an, Nummer steht im Telefonbuch."

Simon Schweitzer fragte sich, aus welchem glänzenden Stoff das winzig burgundrote Etwas wohl war, das mit ein wenig Glück, und wenn sie es vermied, sich zu bücken, verhinderte, wegen öffentlichen Ärgernisses in polizeiliche Sicherheitsverwahrung zu kommen. So laufen die Frauen in Indien jedenfalls nicht rum.

Er wünschte viel Spaß. Wie er seine Geschlechtsgenossen einschätzte, könnte als einzige indische Komponente heute nacht das Kamasutra eine Rolle spielen.

Dann rief er seinen Schwager an, der ihm mitteilte, daß Klaus-Dieter immer noch nicht aufgetaucht war. Er versuchte sich an die Öffnungszeiten vom Weinfaß zu erinnern. Sicherheitshalber plante er noch einen Abstecher nach Alt-Sachsenhausen ein, das er sonst mied wie der Teufel das Weihwasser. Gerade am Wochenende fielen daselbst Myriaden von Dörflern auf der Suche nach Amüsement und Großstadtflair ein. Die angrenzenden Wohngebiete waren von tiefergelegten Wagen aus kulturellen Notstandsgebieten wie Friedberg, Groß-Gerau, Hanau, und, nicht zu vergessen, Offenbach zugeparkt, auf deren Heckscheiben stolz prangte, daß der Fahrer trotz der verchromten Eintausend-Euro-Felgen Abitur hatte, aber das hatte ja heutzutage jeder. Simon Schweitzer stellte fest, daß sich seit seinem letzten Besuch eine Menge getan hatte. Spaßkneipe reihte sich an Spaßkneipe.

Froh wieder sicheren Boden unter den Füßen zu haben, betrat er eine Stunde später das Weinfaß, in dem es nur unmerklich kühler war als draußen. Eine Gruppe von etwa fünfzehn Personen in Simon Schweitzers Alter sorgte auch hier für ausgelassene Samstagabendstimmung. Sie gehörten augenscheinlich zusammen, denn man hatte eines der drei Fässer, die sonst ein Dreieck bildeten, zwischen die beiden anderen gestellt, so daß sie eine Reihe bildeten. Ergo ging Herr Schweitzer zum Tresen. Bertha kam gerade mit einem Tablett leerer Gläser zurück. Irgendwie sah sie heute jünger aus als dreiundfünfzig, ihr wahres Alter, befand Simon Schweitzer.

„Na so was. Der Herr Schweitzer wird Stammgast."

„Sieht ganz so aus", pflichtete er ihr unverbindlich bei.

„Was darf's denn sein? Wie gestern?"

„Ach nein, mal was anderes. Was meinst du?"

„Warst du mal in Kalifornien?"

„Ich war noch nie aus Deutschland raus", erwiderte Simon Schweitzer bestimmt, dem es suspekt war, in Länder zu reisen, deren Sprache man nicht wenigstens perfekt beherrschte. Außer ein paar Brocken Schulenglisch konnte er nichts. Dennoch wußte er viel über andere Länder.

Bertha stutzte, wußte nicht, ob ihr Gast sie an der Nase herumführte. „Ich hätte da einen fruchtigen Chardonnay aus Sonoma, Kalifornien. Westhang", fügte sie verschwörerisch hinzu.

„Westhang, wenn das nichts ist. Den probier ich mal." Er zog seine leichte, weiße Leinenjacke aus, die er für den Fall eines nächtlichen Temperatursturzes mitgenommen hatte und hängte sie an die Garderobe im Toilettendurchgang. Dann kam der Wein und Simon Schweitzer stellte sich so, daß er durch die große Scheibe in die Abenddämmerung hinausschauen und gleichzeitig die Kneipe überblicken konnte. Bertha Eisen, weswegen sie früher auch mal die Eiserne Bertha genannt wurde, war hinter dem Tresen beschäftigt, der einmal doppelt so lang gewesen war. Da stand er aber noch in einem historischen Weinlokal im linksrheinischen Bacharach, dessen Besitzer durch Brandstiftung versucht hatte, das unter Denkmalschutz stehende Haus der Versicherungssumme wegen niederzubrennen, was aber ob des schnellen Eingreifens der Feuerwehr nur halbwegs gelungen war. Vollends mißlungen war das Abkassieren der Versicherung, statt dessen saß er drei Jahre ohne Bewährung ab. Bertha hatte über Gäste davon Wind bekommen und den restlichen, nicht verkohlten Tresen für einen Apfel und ein Ei erworben. Herr Schweitzer besah sich die fröhliche Gesellschaft jetzt genauer. Er kannte niemanden, nur bei einem Herrn mit Allerweltsgesicht war er sich nicht sicher. Eigentlich wartete er darauf, daß Bertha ihn fragte, ob er schon wüßte, daß Schwarzbach verschwunden sei und somit ein Gespräch eröffnete, in dessen Verlauf er soviel an Interessantem erfahren würde, daß er morgen seinem Schwager stolz davon berichten konnte. Aber es tat sich nichts dergleichen. Ein bißchen hoffte er auch auf Maria, Karins Begleiterin der letzten zwei Tage, von der er nicht wußte, in welchem Verhältnis sie zur Familie Schwarzbach stand. Letztendlich blieb ihm nichts anderes übrig, als selbst die Initiative zu ergreifen.

Er legte alle Gleichgültigkeit, über die er verfügte, in seine Stimme: „Sag mal Bertha, ist eigentlich Klaus-Dieter wieder aufgetaucht?", der beim Zigarettenholen mal eben für einen Tag verschwunden war, so wie es angehende Oberbürgermeister nun mal von Zeit zu Zeit und der Tradition entsprechend zu tun pflegen, fügte Herr Schweitzer im Geist hinzu.

„Was? Ist der immer noch nicht da?" Bertha hatte beim Weinausschank innegehalten. Ihr Blick hatte etwas Lauerndes.

„Weiß ich nicht. Deswegen frag ich ja. Nach der Szene von Karin gestern, mußte man ja vom Schlimmsten ausgehen."

„Unsinn. Karin trinkt zuviel und vergißt das meiste. Wahrscheinlich ist Klaus-Dieter auf irgendeinem Parteitag, und Karin ist es mal wieder entfallen. Die nimmt er ja schon lange nicht mehr auf solche Veranstaltungen mit, nachdem sie ein paarmal unangenehm aufgefallen war." Bertha nahm ihre Arbeit wieder auf und fuhr fort, das Glas vollzuschenken. „Magst du auch noch einen?"

„Gerne." Nicht zuviel sagen, den Redefluß nicht unterbrechen.

Sie nahm die Flasche mit dem mit weichem Bleistift und Buntstiften spärlich stilisierten Weingut auf dem Etikett und füllte Simon Schweitzers Glas bis über den Eichstrich. „Außerdem kannst du sicher sein, daß Klaus-Dieter noch anderswo ein Eisen im Feuer hat."

„Wie meinst du das?"

„Na ja, schau dir doch Karin mal an."

Ja, das leuchtete Herrn Schweitzer ein, mit Karin konnte er es sich nicht vorstellen. Nicht mehr. Früher hatte sie gut ausgesehen. Er selbst hatte sie damals auch sexuell in Betracht gezogen. Aber umsonst, auch damals war er kein Adonis gewesen.

Simon Schweitzer hätte jetzt gerne weitere Fragen gestellt, aber das hielt er für zu auffällig, wäre über das übliche Geplauder hinausgegangen, und man hätte sich fragen können, was er mit seiner Fragerei denn bezwecke. Soweit ihm bekannt war, hatte sich sein gelegentliches Herumschnüffeln für seinen Schwager noch nicht herumgesprochen. Und wenn es nach ihm ginge, würde das auch so bleiben. Selbst Laura gegenüber hatte er diesen Aspekt seines Lebens nie erwähnt. Man mußte da sehr vorsichtig sein, in bezug auf Klatsch war Sachsenhausen ein Dorf. Außerdem war dieser Nebenverdienst ebenso wie seine Mieteinnahmen sozusagen steuerfrei, schon allein deswegen war Vorsicht geboten. Man konnte ja nie wissen. Deswegen stellte er die Fragen, die er gerne gestellt hätte, nicht, und da auch Bertha nichts mehr zu diesem Thema beitragen konnte oder wollte, trank er gemütlich sein Glas aus und ging, vergaß aber seine Leinenjacke.

Eine weitere Möglichkeit, etwas über den verschwundenen Abgeordneten zu erfahren, war der Frühzecher, wo die Polizisten vom nahen Revier oft ihren Feierabend verbrachten. Mit zweien von ihnen stand Simon Schweitzer ganz gut, die waren aber just heute absent. Bei einem großen Glas Wasser schwatzte er ein wenig mit dem Wirt René, ein ehemaliger Rocker von den Hells Angels, hörte aber mit einem Ohr einem Gespräch zu, das einige Polizisten führten, die er aber nur vom Sehen her kannte. Leider ging es um für Simon Schweitzer wenig interessante Themen wie Ratenkredite für Bauvorhaben und frustrierende Überstunden, die sich einfach nicht abbauen ließen. Da sein Magen sich knurrend bemerkbar machte, bestellte er ein Schnitzel Wiener Art. Mit Pommes und Majo.

Späterhin tätigte er noch einen Kurzbesuch in einer von ihm in letzter Zeit vernachlässigten Pilsstube. Simon Schweitzer hatte etwa drei Dutzend Restaurants und Kneipen im Repertoire, in die er in unregelmäßigen Abständen immer wieder einkehrte. Er besaß keinen Fernseher, um sich damit fremdes Leben ins Haus zu holen. Sein Mikrokosmos, in dem er aufgewachsen war, in dem er lebte und in dem er sich in aller Regel pudelwohl fühlte, war im Norden vom Main, im Süden vom Stadtwald, im Westen vom Kleingartenverein Louisa und im Osten von den Oberräder Gärten begrenzt. Hier, in einem der größten Stadtteile Frankfurts, war sein Revier. Immer horche, immer gucke, diese Lebensweisheit der alteingesessenen, urigen einheimischen Bevölkerung hatte er sattsam verinnerlicht. Immer horche, immer gucke, was ins Hochdeutsche übersetzt soviel hieß wie: immerfort Ohren und Augen offenhalten, um unliebsame Überraschungen zu vermeiden oder ihnen zumindest dank des durch Hören und Schauen angeeigneten Wissens gefaßt und gut vorbereitet gegenüber treten zu können. Ja, er, Simon Schweitzer, kannte seine Welt. Und was er nicht wußte, war, je nachdem, in dieser oder jener Lokalität in Erfahrung zu bringen.

Er fühlte sich großartig. Und es bestand die Aussicht, daß es in absehbarer Zeit in und um Sachsenhausen herum sehr spannend wurde. Falls das Magistratsmitglied Klaus-Dieter Schwarzbach nämlich morgen immer noch nicht aufgetaucht sein sollte, favorisierte Simon Schweitzer eine Entführung des Geldes wegen. Politische Motive waren da weitgehend auszuschließen, da die RAF und deren Nachfolgeorganisationen den Laden ja bekanntlich dicht gemacht hatten. Nachwuchsprobleme.

Der Mond hing silbern und erhaben als dünne Sichel am Firmament, als Herr Schweitzer die Wohnungstür aufschloß. Laura war wie erwartet nicht zu Hause. Wahrscheinlich nestelt da gerade ein geschniegelter Galan an ihrem burgundrotem Etwas herum, dachte Simon Schweitzer, mir soll's recht sein. Auf ihn übte Laura sowieso keinerlei erotische Anziehung aus. Er konnte nicht einmal sagen, warum. Es war eine recht passable Wohngemeinschaft, die sie da führten, und das reichte ihm. An der Garderobe merkte er, daß er seine Jacke im Weinfaß vergessen hatte. Auch egal.

Nach einer ordentlichen Dröhnung Dipayal Charras lauschte er über Kopfhörer den sakralen Klängen eines Psalms für drei Männerstimmen Monteverdis. Auf dem Bett liegend begab er sich analog zur Musik in eine vermeintlich heile Welt des ausgehenden Mittelalters. Als ihm ganz schwer ums Herz war, legte er den

Kopfhörer beiseite, schlief umgehend ein und träumte süßlich von einem Leben als umherfahrender Schamane.

Die Augen wollten einfach nicht offen bleiben. Draußen bog eine Straßenbahn um die Ecke und erzeugte ein enervierendes Quietschen im oberen Tonhöhenbereich. Mit einem Ruck setzte sich Herr Schweitzer auf und schaute aus dem Fenster. Die Hochhäuser auf der anderen Seite des Mains standen noch, was seit dem 11. September immer wieder eine angenehme Überraschung war. Der Himmel strahlte im hellblauen Kleid, dekoriert von ein paar vereinzelten Zirruswölkchen. Simon Schweitzer merkte, daß es heute schwererer Geschütze bedurfte, um in die Gänge zu kommen. Tranig ging er über den Flur nach nebenan und vergewisserte sich, daß Laura nicht nach Hause gekommen war. Alles andere hätte ihn auch überrascht. Dann schlurfte er in sein Zimmer zurück und legte Ton Steine Scherben auf, daß es nur so krachte. Dicke, solide Wände, das war das, was er an einer Altbauwohnung schätzte. Schon auf dem Weg ins Bad fühlte er, wie der Rhythmus Lethargie in Energie umwandelte.

Später saß er in der Küche, hörte Radio und starrte durch das Fenster auf die weiße Wand des angrenzenden Hochhauses, eine Bausünde aus den Siebzigern. Winzig kleine Milchglasfenster waren auf dieser Seite die einzige Lichtquelle pro Etage. Kein schöner Anblick, befand Herr Schweitzer und widmete sich wieder seinem Früchtemüsli. Die Tagesgestaltung wollte keine rechten Fortschritte machen, und er war darob ein wenig mürrisch.

Und hier noch eine Suchmeldung der Polizei, kam es aus dem Radio und erwischte Simon Schweitzer kalt. Seit Freitag abend wird der Frankfurter Stadtverordnete Klaus-Dieter Schwarzbach vermißt. In diesem Zusammenhang sucht die Polizei nach einem jägergrünen Geländewagen der Marke Mitsubishi Pajero mit dem polizeilichen Kennzeichen F für Frankfurt, KD ...

Simon Schweitzer saß da wie Lots Salzsäulen-Tussi nach der Vernichtung Sodom und Gomorrhas. Er konnte es nicht fassen. Gestern hatte er die von ihm so leichthin favorisierte Entführung eher für einen witzigen Gedanken gehalten und nun ... hatte er den Salat. Solche Sachen pflegten sich gemeinhin immer woanders abzuspielen. Und dort gehörten sie seiner Meinung nach auch hin, woanders halt. Die letzte größere Aufregung, die Sachsenhausen in den letzten Jahren heimgesucht hatte, war der Streich mit den Anwohnerplaketten. Erst hatte man die dafür notwendig gewordenen Verkehrsschilder montiert, dann, nach einem lustigen Gerichtsurteil wieder abmontiert und zwei Jahre später wieder angebracht. Aber das war ja nicht zu vergleichen, rief sich Herr Schweitzer zur Ordnung.

Das Telefon klingelte. Es war sein Schwager. Ja, natürlich habe er es gerade in den Nachrichten gehört, Karin habe auch angerufen. Die Polizei habe sie ganz und gar nicht einfühlsam nach Frauengeschichten von Klaus-Dieter ausgefragt. Wie die auf so einen Unsinn überhaupt kämen. Und ob wir, die Detektei Hagedorn, denn schon weiter gekommen seien in unserer Ermittlungsarbeit.

Daraufhin erzählte Simon Schweitzer, daß da gestern bei seiner Recherche sehr wohl von Frauengeschichten die Rede war. Ins Detail war der Informant nicht gegangen, aber er, Simon Schweitzer, würde am Ball bleiben, und, falls nötig, den Druck noch verstärken. Einen schönen Gruß an Angie noch, tschüß.

Da die Dinge sich nun mal entwickelt hatten, wie sie sich entwickelt hatten, wollte Herr Schweitzer unbedingt Methode in den Tag bringen. Er war überzeugt davon, durch kluges und geschicktes Fragen bei Karin Schwarzbach einiges an Informationen herauskitzeln zu können, von denen sie selbst nicht mal ahnte, daß sie von Bedeutung sein könnten. Simon Schweitzer hielt sich nicht für schlauer als die Polizei, doch vermutete er einen Vorteil darin, Klaus-Dieter dereinst recht gut gekannt zu haben.

Er entschloß sich zu einem Besuch bei Karin auf dem Lerchesberg. Wegen der Adresse rief er noch mal seinen Schwager an. Dem Tag des Herrn zollte Simon Schweitzer dadurch Respekt, daß er sich ein blütenweißes Hemd mit bauschigen Ärmeln und einer bordürten Knopfleiste anzog, das selbst einer Jeanne d'Arc auf den Schlachtfeldern des Hundertjährigen Krieges zur Zierde gereicht hätte. Es war das einzig verwegene Kleidungsstück, das er besaß. Er warf noch einen Blick in den Spiegel und war hoch erfreut ob dieser stattlichen Erscheinung. Und es ward Licht, zollte er sich Respekt.

Viele Spazier- und Müßiggänger bevölkerten die Straßen. Da er Zeit in Hülle und Fülle hatte, wählte er den Weg über die Gärtnerei im Bischofsweg. Er rechnete stark damit, daß Karin anderes im Kopf haben würde, als sich über seinen Besuch zu wundern. Und wenn doch, würde er halt zugeben, daß er im

Auftrag seines Schwagers handle. Das wäre auch kein allzu großes Malheur. Aber es kam alles ganz anders.

Der Nobelring war per se und wie alle anderen Ringe hier oben kreis- oder halbkreisförmig angelegt. So konnte Simon Schweitzer das Monstrum an Übertragungswagen erst sehen, als er schon fast vor dem Schwarzbachschen Domizil angelangt war. Das erste Mal seit langem bedauerte er es, keinen Fernseher zu besitzen. Es waren keine Kameramänner auf der Straße. Möglicherweise war man mit Innenaufnahmen beschäftigt, fuhr es ihm in den Sinn. Zwei Kugelakazien in hölzernen Kübeln bewachten das imposante Eingangsportal. Schlicht von Tür zu sprechen, wäre Blasphemie gewesen. In einem grün-weißen Mannschaftswagen saßen einige Polizisten und waren oder taten beschäftigt. Einige Schaulustige blieben als Spaziergänger getarnt in einigem Abstand stehen und starrten. Herr Schweitzer ging geradewegs am Haus vorbei und schaute verstohlen auf die Fenster. Doch lediglich orangerote Fackellilien leuchteten auf dem schmalen Beet am Bürgersteig und erregten seine Aufmerksamkeit. Auf Gartenzäune wurde hier oben weitgehend verzichtet. Man war unter sich, die Immobilienpreise sorgten dafür.

Simon Schweitzer kam sich töricht vor. Hatte er sich etwa eingebildet, mal kurz hier oben vorbeizuschauen, und den Fall, wenn es denn überhaupt einer war, im Handstreich aufzuklären? Er, der große Sherlock Holmes von Dribbdebach. Was er sich da überhaupt einbildete. Einen Ehegatten des Bordellgangs und einen Malergesellen der Schwarzarbeit während einer angeblichen Krankheitsperiode überführt zu haben, waren die stolzen Resultate, derer er sich rühmen konnte. Ob ihm denn sein Leben keinen Spaß machte, mußte er sich da in Sachen reinhängen, die ihn partout nichts angingen? Lächerlich, einfach nur lächerlich.

Nachdem sich Herr Schweitzer nach allen Regeln der Kunst fertiggemacht hatte, fühlte er sich nicht etwa schlechter. Nein, er kam sich vor wie Phönix aus der Asche. Er kannte das ja von sich, und dann war es notwendig, gewisse Dinge wieder ins rechte Lot zu rücken. An einer Tanke holte er sich die Sonntagszeitung und eine Tafel Schokolade, und als er wieder bei sich in der Küche saß, war er endgültig wieder mit der Welt im reinen. Er setzte einen Roibuschtee auf und vertrieb sich die Zeit mit Lektüre. In den Gazetten war noch nichts über das Verschwinden des Frankfurter

Stadtverordneten zu lesen.

„Wenn ich diesem Deppen noch einmal begegne, dann ..."
Simon Schweitzer lag die Frage auf der Zunge, ob der Depp, wer immer das sein mochte, ihr burgundrotes Röcklein nicht fesch gefunden habe. Doch er ahnte, daß diese Frage an diesem Ort und zum jetzigen Zeitpunkt hätte mißverstanden werden können. Laura war in die Küche gestürmt, hatte ihre Handtasche auf den Tisch geknallt und sich am Kühlschrank zu schaffen gemacht.
„Wage ja nicht mich zu fragen, wie's mir geht. Ich habe einen Brummschädel. Scheiße."
Sämtliche asiatischen Entspannungsmethoden der letzten Tage schienen in ihrer Wirkung nicht angehalten zu haben, dachte Herr Schweitzer und schaute seiner Untermieterin fasziniert zu.
„Wo ist denn um alles in der Welt die Cola?"
„Aber du hast doch hier noch nie Cola getrunken." Er hatte kaum zu Ende gesprochen, da wußte er schon, daß er einen Kardinalfehler begangen hatte.
Laura drehte sich um, funkelte ihn böse an und fauchte: „Na und. Ist das vielleicht ein Grund, keine Cola im Haus zu haben? Was für einen Scheiß kaufst du überhaupt ein?"
Simon Schweitzer hätte jetzt sagen können, daß es jede Menge Mineralwasser und Orangensaft im Haus habe. Und, daß es seines Wissens sogar noch etwas Tomatensaft gab. Aber auch, daß Cola dick mache, wäre eine deplacierte Antwort gewesen. Außerdem war die Frage immer noch nicht beantwortet, warum keine Cola da war. Hätte ihm Gott der Allmächtige ein klein wenig mehr Verständnis für die weibliche Logik mit in die Wiege gelegt, wer weiß. Aber so war er gefangen in einem Käfig aus männlicher Begriffsstutzigkeit.
„Ich geh mal schnell ans Wasserhäuschen Cola holen." Herr Schweitzer stand auf.
„Das ist doch nicht nötig. Das ist aber lieb von dir. Du bist der beste." Jaja, das war wieder die Laura, die er kannte und liebgewonnen hatte.
„Schon gut." Auch Simon Schweitzer tat es wohl, sich ab und an schmeicheln zu lassen.
Als er wieder zurück war, lag Laura in der Hängematte und sah sehr elend aus. Sie hatte einen Tonkrug mit Eiswürfeln auf das Tischchen gestellt. Simon Schweitzer schenkte ihr ein Glas Cola

ein, ließ zwei Eiswürfel hineinplumpsen und reichte es ihr.
„Danke. Du bist ein Schatz."
„Das sieht sehr gemütlich aus, du in deiner Hängematte."
„Findest du? Magst du dich auch mal reinlegen?"
„Nein, laß mal. Für mich ist das nichts." Aber so richtig überzeugt war er nicht, daß es nichts für ihn sei. Rückwärts ging er zur Tür. „Soll ich zumachen?"
„Ja, sei so nett."
Heute abend könnte ich ja mal zum Griechen gehen, überlegte Herr Schweitzer, derweil er sich seiner Klamotten entledigte. Ein bißchen Schlaf vorher kann da nicht schaden.

Es roch nach Farbe. Der Eingangsbereich, der von einem weiblichen Torso mit Chiton gehütet wurde, strahlte wieder in einem intensiven Azur. Die ionischen Säulen mit ihren verschnörkelten Kapitellen stützten in einem reinen Unschuldsweiß die Decke, die ebenfalls ihres Nikotingelbs beraubt war. Ein kleines Dorf mit den typisch griechischen Häusern, integriert in eine karge Landschaft mit vereinzelten Olivenbäumen – die Heimat der Wirtsleute – zierte nach wie vor eine der Seitenwände. Auch hier hatte der Künstler die Nationalfarben Griechenlands dominieren lassen. Kleine, hüfthohe Mäuerchen trennten die verschiedenen Sitzgruppen, und rote Rosen in tönernen Dekorationsamphoren schmückten vier im Raum stehende Säulen, die aber keine Trägerfunktion ausübten. In der Mitte thronte die alabasterne Aphrodite von Melos.
„Daß ich dich mal wieder sehe, Simon, alter Gauner. Ti kánis?" Unbemerkt war Theophilos hinter der Theke hervorgekommen. Gauner war eines der ersten deutschen Worte, die er 1963 gelernt hatte. Anfangs hatte er gedacht, es handle sich dabei um eine höfliche Anrede, die ihm seine Kollegen vom Bau beigebracht hatten, als er gerade frisch im Wirtschaftswunderland angekommen war.
„Hallo Theo, gut siehst du aus." Das stimmte. Sie kannten sich seit mehr als zwanzig Jahren und seitdem hatte Theophilos kein Gramm zugelegt und auch Haarausfall war ihm fremd. Allerdings changierten die vormals teerschwarzen Haare nun weißlich grau. Eine Schande, dachte Herr Schweitzer, daß er sich heuer hier nicht hatte blicken lassen. Die beiden Männer hatten sich gegenseitig bei den Schultern gepackt.

„Was treibt dich her? Hunger?“

„Großen.“

„Na, dann nimm mal Platz. Roxane ist in der Küche und die Kleine hat heute frei.“ Die Kleine war ihre siebenundzwanzigjährige Tochter Violetta, auf deren Namen Beim Zeus mittlerweile eingetragen war. Gewohnheitsgemäß versuchte Simon Schweitzer, sein sommerliches Leinenjackett auszuziehen, aber das hing immer noch im Weinfaß. Er schmunzelte, als er seinen Irrtum bemerkte und setzte sich an einen Zweiertisch am Fenster.

„Ich nehm erst mal einen Kaffee“, bestellte Herr Schweitzer weise, denn er wußte, was noch auf ihn zukam. Dann nahm er die Karte und entschied sich für warme Dolmades mit Zitrone und ein Moussaka. Theophilos gab die Bestellung an seine Frau Roxane weiter und brachte Simon Schweitzer den Kaffee an den Tisch. Noch hatten sich keine weiteren Gäste eingefunden.

„Gefällt's dir? Haben wir gestern alles neu gestrichen.“ Er deutete mit einer weit ausholenden Geste um sich.

„Wie? An einem Tag?“

„Ja, mein Schwiegersohn hat noch zwei Freunde mitgebracht, und das ging dann schnell. Wenn die Farbe schon trocken gewesen wäre, hätten wir abends schon wieder öffnen können. Riecht man es noch?“

„Ein bißchen.“

Es kamen neue Gäste herein. Zwei Pärchen. Theophilos erhob sich, geleitete sie zu einem Tisch und nahm ihre Jacken für die Garderobe in Empfang. Simon Schweitzer schaute durch das vorhanglose Fenster auf die Straße. Ein tolpatschiger junger Golden Retriever scheuchte Tauben auf, und zwei Alte gingen Arm in Arm über die Straße. Die Abendsonne verlieh den Farben eine Sattheit, die sie sonst nicht besaßen. Er verspürte Romantik bis in die letzte Kapillare. Ach, wäre das schön, mit jemandem Arm in Arm zu schlendern. Großer Seufzer.

Das Moussaka war ein Gedicht. Eine Gabel mit fruchtigen Auberginen und reichlich Bechamelsoße hatte sich Herr Schweitzer bis zum Schluß aufgehoben und umschmeichelte nun damit seine Geschmacksnerven. Mit einem Schluck Satyrikon spülte er den letzten Bissen herunter. Es waren noch einige Gäste gekommen. Die waren allesamt mit Speisen versorgt, so daß Theophilos wieder Zeit hatte.

„Weißt du, wer wieder regelmäßig herkommt?“

„Wie könnte ich?"

„Der Pfarrer."

„Guntram Hollerbusch?"

„Genau. Und weißt du, warum?" Simon Schweitzer schüttelte den Kopf, und Theophilos beantwortete seine eigene Frage: „Der gleiche Grund wie damals."

Herr Schweitzer verstand nicht. „Versteh ich nicht."

Theophilos verdrehte die Augen, als wäre er es leid, den Blöden dieser Welt immerfort alles erklären zu müssen. „Na, der Flughafen. Der geplante Ausbau. Die Flugschneise über Sachsenhausen. Hollerbusch leitet wieder die Bürgerinitiative. Die treffen sich hier jeden Dienstag. Fast alles ist wie damals."

Simon Schweitzer war sprachlos. Seine Gedanken wanderten in die Vergangenheit. Zu viert hatten sie dereinst den Sachsenhäuser Widerstand gegen die Startbahn West organisiert. Der Pfarrer, der damals noch Student der Theologie war, und Schwarzbach waren die treibenden Kräfte gewesen. Hollerbusch war ihr Organisator gewesen, der Mann fürs Praktische, und Schwarzbach der Rhetoriker, der begeistern konnte wie kein anderer. Wenn er sprach, hörte jeder zu, ob er wollte oder nicht. Und Beim Zeus hatten sie ihr HQ, wie sie es im Spaß nannten, ihr Hauptquartier aufgeschlagen. Und der Ouzo ist geflossen wie später das Blut. Mein Gott, wie lang ist das her? Herr Schweitzer überschlug es im Kopf, mehr als zwei Jahrzehnte. Wie die Zeit vergeht. Dann war er wieder im Präsens.

Geduldig hatte Theophilos auf das Ende des gedanklichen Exkurses gewartet. „Na, siehst du. Jetzt erinnerst du dich." Er rüttelte Simon Schweitzer am Arm.

„Ja."

„Und der andere, wie hieß der noch gleich? Daniel, aber wie weiter? Der hatte noch so einen lustigen Namen. Ich habe immer gedacht, der wollte auch Pfarrer werden wie Hollerbusch. Am Anfang habe ich die zwei immer verwechselt."

„Ja, stimmt, der Meister. Mit dem zweiten Vornamen hatten wir ihn immer aufgezogen. Irgendwas kirchliches wie Gottfried oder so." Herr Schweitzer hatte das Gesicht vor Augen, aber der zweite Vorname des ehemaligen Weggefährten blieb verschollen. Schon eine Ewigkeit hatte er nicht mehr an ihn gedacht. Der Träumer, der Visionär. Ja, Meister hatte eine ausgeprägte Fantasie, konnte die Protestbewegung binnen Sekunden auf Heeresgröße heranwachsen lassen, das Volk vom kapitalistischen Joch befreien und das Proletariat unter der roten Fahne in eine glorreiche Zukunft führen.

„Nein, Gottfried hieß er auch nicht. Nein", sagte Theophilos versonnen. „Was ist eigentlich aus Daniel geworden?"

„Weiß ich nicht. Ich hab ihn damals sehr schnell aus den Augen verloren. Gerüchte besagten, er wäre nach Italien. Verschwunden, so wie Schwarzbach jetzt."

„Bitte?"

„Klaus-Dieter. Der ist auch weg, seit vorgestern. Sag bloß, du hast nichts davon gehört."

„Nein, wir haben heute nachmittag hier noch ein bißchen aufgeräumt. Das Radio war den ganzen Tag noch nicht an. Aber wieso denn verschwunden? Das geht doch nicht."

„Ich weiß es nicht. Sein Wagen ist auch weg."

Theophilos schüttelte den Kopf. „Das habe ich mir schon immer gedacht, das nimmt kein gutes Ende mit Klaus-Dieter."

„Du tust ja gerade so, als wäre er tot."

Jemand rief leise, aber vernehmlich Hallo. Der Wirt stand auf. „Ich bin gleich wieder da."

Nachdem Theophilos einige Dessertbestellungen aufgenommen und neue Getränke verteilt hatte, kam er wieder an Simon Schweitzers Tisch und knüpfte das Gespräch dort an, wo es unterbrochen worden war: „Dem ist was zugestoßen. Glaub mir, so einer wie der erreicht kein Rentenalter. Dafür hat er zuviel auf dem Kerbenholz, oder wie man hier sagt."

„Kerbholz."

„Na schön, Kerbholz eben. Ich hab so was im Gefühl, da ist was passiert mit Klaus-Dieter. Wundern würd's mich nicht."

Herr Schweitzer schüttelte den Kopf und sah Theophilos in die dunklen Augen. „Glaub ich nicht. Bestimmt hat er das alles nur inszeniert, um sich mal wieder ins Gespräch zu bringen."

„Wir werden sehen."

„Ja. Und mach mir mal die Rechnung fertig."

Es stand zu befürchten. Einer der ganz seltenen Momente, vor denen Simon Schweitzer nicht ausweichen konnte. Mit der Rechnung kam das Grauen in Form eines vier Zentiliter-Ouzo-Glases, das auch schonungslos bis zum Vier-Zentiliter-Eichstrich gefüllt war. Theophilos' Augen strahlten um die Wette. Seine Roxane sah es gar nicht gerne, wenn ihr Mann sich am Ouzo verlustierte, aber der Kunden wegen drückte sie in solchen Fällen ein Auge zu. Und wenn sie nicht hinsah, wurde flugs ein doppelter daraus, der Unterschied ließ sich späterhin ja nicht riechen. Früher, wenn sie meist zu dritt oder viert hier Beim Zeus waren, hatte Theophilos Herrn Schweitzer nie so gedrängt. Das Problem des überzähligen Ouzo, das ob Simon Schweitzers standhafter Weigerung entstanden war, hatte er meist gelöst, indem er ihn kurzerhand selbst hinunterspülte. Für ihn hatte Theophilos immer einen mit auf dem Tablett stehen gehabt.

„Na, dann wollen wir mal", sprach der griechische Wirt, hielt das Glas ins Licht, begutachtete kurz das edle Tröpfchen, hielt es für würdig und trank es hinfort.

Simon Schweitzer schauderte es gewaltig. Er stellte das Atmen durch die Nase ein und tat es Theophilos gleich. Ein Lavastrom hätte das Brennen in der Speiseröhre nicht besser inszenieren können. Er stellte das Glas ab. Tränen traten ihm in die Augen.

„Noch einen?" Theophilos war ganz aufgeregt.

„Ach, laß mal. Manchmal ist weniger mehr."

„Wie meinst du das? Da ist doch keine Logik dahinter."

„Ich will damit sagen, um Gott nicht unnötig zu erzürnen, sollten wir es mit dem Guten nicht übertreiben, sonst würde eine Orgie daraus." Der Atheist Herr Schweitzer kam sich sehr listig vor.

Theophilos sah ihn mißtrauisch an und suchte fieberhaft nach einem Schnitzer oder einer Ungereimtheit in den Worten, fand aber weder noch. Er schwenkte um: „Du kannst ja, wenn du willst, am Dienstag mal vorbeikommen. Da tagt die BI mit Guntram hier."

„Ich überleg's mir mal."

„Schön, dich mal wieder gesehen zu haben. Kaliníchta."

„Kaliníchta."

Die Nacht war hereingebrochen. Sonntags Ruhetag, stand auf einem kleinen Schild im Fenster vom Weinfaß. Daß ich mir das auch nie merken kann, fluchte Simon Schweitzer ein wenig. Der Ouzo hatte ihm Übermut verliehen. Und so beschloß er, doch mal eine Lokalität in der Textorstraße, sozusagen bei ihm um die Ecke, zu erkundschaften, in und vor der sich allerlei Jungvolk herumtrieb. Sein Charakter ließ ihn zögern einzutreten, aber er gab sich einen Ruck. Als Gegengift zum Ouzo bestellte er sich bei einer Kindfrau – oder kam ihm das nur so vor? – eine große

Cola. Und dann traf es ihn wie eine Erleuchtung. Fürchtegott. Genau, Daniel Fürchtegott Meister. Was für ein Name. Im Geiste waren sie jetzt wieder komplett, die Vier von der Sachsenhäuser Bürgerinitiative gegen die Startbahn West. Magistratsmitglied Klaus-Dieter Schwarzbach, Pfarrer Guntram Hollerbusch, das Nesthäkchen Daniel Fürchtegott Meister und er selbst. Die Cola kam und das Mädchen schenkte Simon Schweitzer ein Lächeln gratis dazu. Er hatte sich ein wenig abseits gesetzt, um nicht zu sehr aufzufallen. Allesamt hier hätten vom Alter her seine Kinder sein können. Kritisch betrachtete er sich in einem der vielen Spiegel. Er sollte mal wieder zum Friseur gehen, seine mittellangen graublonden Haare standen ungebändigt und wie elektrisiert nach allen Seiten ab. Auch was die Mode anging, fühlte sich Herr Schweitzer wie ein Fremdkörper. Man trug wieder Schlaghosen, doch anders als in den Siebzigern, silbrig glänzend. Auch die Frisuren der jungen Hüpfer und Hüpferinnen kamen denen von damals verdächtig nahe. Unauffällig versuchte Simon Schweitzer, seine Haare durch Plattdrücken in Form zu bringen. Beim erweiterten Hosenvergleich schnitt er schon besser ab, Cord schien auch wieder zeitgemäß zu sein. Er begann sich wohler zu fühlen, niemand schien an dem alten Knacker dort in der Ecke Anstoß zu nehmen, man war sich selbst genug. Der groovende Rhythmus lief unter dem Begriff Dancefloor und gefiel ihm sehr. Simon Schweitzer wurde locker und geschmeidig und dachte wieder an früher. Wie sie nach und nach den Wald besetzt hatten, in Nacht- und Nebelaktionen das Hüttendorf aufbauten und erweiterten, den Haushalt nach überzähligem Geschirr durchforsteten, um es dann rucksackweise dem Widerstand zuzuführen. Wie sie bei klirrender Kälte Wache schoben, meist zu zweit. Und überall diese Scheinwerfer, welche die Szenerie um die stacheldrahtbewehrte Betonmauer in gleißendes Licht tauchte. Und sie wurden immer mehr, an Sonn- und Feiertagen schienen sich sämtliche betroffenen Gemeinden mit Kind und Kegel im Wald einzufinden.

Noch nie vorher hatte es eine solch breite Protestbewegung in Deutschland gegeben. Quer durch alle Parteien, durch alle Religionen, durch alle Generationen und durch sämtliche sonstigen Weltanschauungen war der Geist der praktizierten Demokratie gelaufen. Im Rückblick wirkte vieles verklärter, wie ein schwarzweißer Dokumentarfilm mit klassischer Musik als Untermalung. Simon Schweitzers Herz wurde schwer.

Dann kam die Räumung, an der alle Polizisten der Republik beteiligt waren. Schon heute sprechen Teile der Geschichtsschreibung vom letzten und alles entscheidenden Kampf gegen das aufmüpfige Volk. Daß der Volksentscheid mit abstrusesten Argumentkonstruktionen abgelehnt wurde, fiel da schon nicht mehr weiter ins Gewicht. Der Todesstoß allerdings, der die ganze Bewegung in ihre Einzelteile zersplittern sollte, kam von einem Unbekannten. Zwei heimtückisch gemordete Polizisten, welche die ganze Wut auf den Staat oder das, was sich dafür hielt, abbekamen, waren das Resultat eines unkontrollierten Gewaltexzesses. Der Schütze, der im Schutz des Restwaldes diese Tat begangen hatte, konnte bis heute nicht ermittelt werden.

Für Herrn Schweitzer war die schlichte Negierung des Mehrheitswillens mit den abenteuerlichsten Mitteln das Ende jedweder Demokratie, die sich für ihn seit Ende des Weltkrieges sowieso gerademal nur im Versuchsstadium befunden hatte. Simon Schweitzer hatte sich dann, um seines seelischen Gleichgewichts willen, von der Politik losgesagt.

So war das damals, dachte er und er dachte auch, daß er es sich mittlerweile ganz gut im Leben eingerichtet habe. Und zu dieser Einrichtung gehörte ein Klaus-Dieter Schwarzbach mit Sicherheit nicht. Ein Mann, der seinerzeit bei den Kommunisten an der Uni das Reden und Agitieren gelernt hatte, dann während der Startbahnzeit die Alternativen im Sachsenhäuser Ortsbeirat vertreten hatte und der dann der Karriere und Profilierungssucht wegen erst zu den Sozialisten und später zu den Konservativen gewechselt war. Und nun war dieses fiese Lächeln drauf und dran, nächster Frankfurter Oberbürgermeister zu werden. Denn auf dieses Lächeln wurde Schwarzbach von der für den Wahlkampf zuständigen Werbeagentur reduziert. Blond, modische Brille, schwulstige Lippen und Lächeln, was das Zeug hielt. Noch mehr haßte ihn Herr Schweitzer aber wegen seines großen Erfolges bei Frauen. Und damals hatte Schwarzbach dem Hollerbusch ja seine Karin ausgespannt, im Hüttendorf, derweil Guntram Hollerbusch mit ihm, Simon Schweitzer, auf Wache war. Die Weibchen suchen sich nun mal die stärksten Männchen aus, hatte Klaus-Dieter, zur Rede gestellt, dann lapidar von sich gegeben. Und heute war Guntram Pfarrer der Gemeinde des Barmherzigen Heilands von Nazareth und Umgebung, und Karin stand kurz vor der Leberzirrhose, dachte Simon Schweitzer traurig, von der Vergangenheit überrumpelt. Von ihm aus konnte Schwarzbach für immerdar von der Bildfläche verschwunden bleiben. Arschloch, blödes.

Ein schwacher süßlicher Geruch drang in seine Nase. Irgendwo hatte er neulich gelesen, die Jugend würde sich wieder verstärkt dem Marihuanagenuß widmen. Vergeblich versuchte er, den oder die Konsumenten auszumachen. Er fühlte sich wohl in der Gegenwart und ließ seinen Blick wohlwollend über das Jungvolk schweifen. Er beneidete sie nicht wegen ihrer Jugend, sonders ob des Fehlens politischer Niederlagen in ihrem Erfahrungsschatz. Ein Junge mit Ziegenbart in einem hellgrünen Sportshirt lächelte ihn an. Simon Schweitzer lächelte zurück. Das Leben war schön. Die Vergangenheit ließ zu wünschen übrig, aber sie würde ja nicht wiederkommen. Oder?

Herr Schweitzer blickte auf eine Wanduhr klassisch Bauhaus und stellte erstaunt fest, daß er beinahe zwei Stunden hier war. Aus Scham über seinen geringen Konsum gab er großzügig Trinkgeld. Ach, sind die nett, die jungen Leute. Da kann man doch mal wieder reinschauen ins Troubadour. Und er hatte sich anfangs geniert einzutreten, was für ein Dabbes er doch war. Das süßliche Odeur des Dopes hatte Simon Schweitzer gierig werden lassen, er ging nach Hause.

Sachsenhausen war ins Fadenkreuz der Weltgeschichte geraten. Simon Schweitzer war für seine Verhältnisse recht früh aufgestanden und hatte sämtliche halbwegs seriösen Tageszeitungen gekauft. Vom Bäcker hatte er sich zwei belegte Ciabattabrötchen mitgebracht, fürs Selbstschmieren war keine Zeit. Der Himmel hatte sich mit seinem Strahleblau umsonst ins Zeug gelegt, Simon Schweitzers Gedanken waren wo ganz anders. Das Wetter war ihm scheißegal.

Die Zeitungen lagen gestapelt neben seinem Teller und einem großen Pott Kaffee. Und dann fing er an, alles, was auch nur peripher Klaus-Dieter Schwarzbach zum Thema hatte, in sich hineinzusaugen.

Simon Schweitzer las geschlagene zwei Stunden. Er hätte noch viele weitere Artikel lesen können, es war wie eine Sucht. In den Gazetten wurde viel spekuliert, wie immer, wenn man überhaupt nichts oder nur wenig wußte. Das Hauptaugenmerk galt logischerweise dem immer noch verschwundenen Mitsubishi-Geländewagen Schwarzbachs. Tendenziell wurde mit einer Entführung geliebäugelt, es wäre nur noch eine Zeitfrage, bis sich die Entführer meldeten. Der Polizeipräsident und subordinierte Kreise waren zu keiner Stellungsnahme bereit. Die Politik hielt sich auch bedeckt, man müsse die Ermittlungen abwarten. Auch wurde Schwarzbachs Werdegang aufgezeigt, der für Herrn Schweitzer schon wie ein Nachruf klang und dementsprechend schönfärberisch herüberkam. Er hätte sich da ganz anders ausgelassen, wenn ihn jemand gefragt oder ihm ein Schreibgerät in die Hände gedrückt hätte. Hat aber mal wieder niemand. Sonst hätte Simon Schweitzer denen schon erzählt, daß der gute Klaus-Dieter sich im Leben so gut wie jedermann zum Feind gemacht hatte. Und ihn würde es da ganz und gar nicht wundern, wenn der Abgeordnete einem grausigen Kapitalverbrechen zum Opfer gefallen sei. Er selbst hatte sich da seinerzeit auch nur sehr schwer zurückhalten können, was ausschließlich seiner an sich bis ins Mark hinein gewaltfreien Natur zu verdanken sei.

Per Selbstgespräch hatte sich Simon Schweitzer sehr in Rage geredet. Er räumte den Küchentisch auf und ging in sein Zimmer. Wegen des frühen Aufstehtermins war er bereit, für Morpheus, den Gott des Schlafes und der Ohnmacht, noch einen draufzulegen. Er zog sich wieder aus und dachte, daß sich dieses Vorhaben der Rage wegen, in der er sich befand, schwierig gestalten könnte. Und er sollte recht behalten, eine Viertelstunde brauchte er zum Entschleunigen, aber dann ging alles wie von selbst. Er schlief ein.

Ringring, ringring. So ein Mist, dachte Herr Schweitzer, wer mag denn das jetzt schon wieder sein. Das Wieder war purer Blödsinn, denn es war der erste Anruf des Tages. Er quälte sich also aus seiner Liegeposition heraus und ging an den Apparat. Es war seine zwei Jahre ältere Halbschwester, die er, da er keine halben Sachen mochte, als Vollschwester behandelte, und die von ihm wissen wollte, ob er Lust auf ein Schwarzwälder Kirschtörtlein hätte. Er hatte. Und außerdem hätte sich im Schwarzbachfall ein bißchen was getan.

Etwas später saß er dem Röhrenden Hirsch gegenüber auf seinem angestammten Fauteuil und stopfte das pappige Süß in sich hinein. Angie und Hans hatten schon aufgegessen, er war beim zweiten Stück. Ein Klecks Sahne hing an des Schwagers Oberlippenschnauzer. Simon Schweitzer machte ihn, da er den Mund voll hatte, mit Handzeichen darauf aufmerksam. Wortlos und kopfnickend dankte ihm sein Schwager, während er sein Aussehen mit der Serviette korrigierte. Als seine Schwester Kaffee nachgießen wollte, hielt Simon Schweitzer seine Hand flach über die Tasse. Hans machte auf ihn einen sehr ausgeglichenen Eindruck. Überhaupt sah er sehr gut aus. Er war nach der Beinamputation nicht in übertriebenes Selbstmitleid verfallen. Jeden Tag stählte er seinen Oberkörper durch gezieltes Krafttraining. Sein Umgang mit den Krücken erschien spielerisch, sich ihn im Rollstuhl vorzustellen, war für Simon Schweitzer unmöglich. Auch hegte Hagedorn bemerkenswerterweise keinerlei Haß gegen jene, die für sein Krüppeldasein die Verantwortung trugen. Junge, übermütige Kerle, die vor vier Jahren auf der Hanauer Landstraße nächtens regelmäßig Autorennen austrugen, bei denen geringe Summen gewettet werden konnten. Es war Pech, daß der Sieger – der Unfall geschah hinter der Ziellinie – just in dem Augenblick die Kontrolle über sein Gefährt verlor, als Angie und Hans um die Ecke gebogen kamen. Während Angie und der Unfallverursacher, der wegen seines pickeligen Jünglingsgesichtes dringlich eines Männlichkeitsbeweises bedurft hatte, so gut wie unverletzt geblieben waren, mußte Hans von der Feuerwehr aus dem blauen Mercedeswrack herausgeschnitten werden, gerade noch rechtzeitig, sonst wäre er verblutet. Als Täter-Opfer-Ausgleich wurde eine Strafe von dreißig Tagessätzen, neun Monaten Führerscheinentzug und hundert Stunden Sozialdienst für angemessen gehalten, der Crashpilot hatte sich bis dato kaum etwas zuschulden kommen lassen. Kein Banküberfall, kein Tötungsdelikt, nichts dergleichen. Hans Hagedorn hatte das alles relativ gelassen hingenommen, als wäre nichts weiter passiert, als in China ein Sack Reis umgefallen. Vielleicht half ihm da ja sein Glaube an Gott.

Simon Schweitzer hatte den Teller leergegessen, und Angie räumte das schmutzige Geschirr weg. Sein Schwager holte einen Block hervor.

„Karin Schwarzbach war heute vormittag hier. Kann das sein, daß die ein bißchen ..." Hans machte mit dem Zeigefinger einige Kreisbewegungen in Höhe der Schläfe.

„Ja, sie scheint ein wenig neben der Spur zu laufen", erwiderte Simon Schweitzer diplomatisch, „aber das ist ja auch kein Wunder, bei dem, was sie gerade durchmacht."

„Aber unabhängig davon ..., na ja, egal." Hagedorn machte eine wegwerfende Handbewegung. „Auf alle Fälle ist auch ihr Hausmädchen verschwunden. Eine Polin."

Letzteres klang für Simon Schweitzer wie eine Erklärung dafür, warum es auf der Welt so schlecht zuging. Er glaubte hin und wieder, bei seinem Schwager rechtes Gedankengut zu erkennen, aber so richtig beweisen ließ sich das nicht. Trotzdem blieb oft ein ungutes Gefühl bei Simon Schweitzer zurück. Um Hans zum Weiterreden aufzufordern, sagte er zögernd: „Ja?"

„Die Polizei ermittelt natürlich auch in dieser Richtung."

„Davon hat gar nichts in den Zeitungen gestanden."

„Man verspricht sich wohl mehr davon, die Spur unauffällig zu verfolgen."

Angie kam zurück und setzte sich aufs Sofa. Mit der Hand richtete sie ihre kastanienbraunen Haare. Herr Schweitzer fragte sich, was die beiden verband. In über zwanzig Jahren Ehe hatte er sie nicht einmal streiten hören.

„Ist das nicht schrecklich?" fragte Angie in die Stille.

Simon Schweitzer sah seinen Schwager an, aber der hatte offensichtlich keine Lust zu antworten. „Ja schrecklich. Was die arme Frau so mitmachen muß."

„Was glaubst du, ist passiert?"

„Ich hab wirklich keinen blassen Schimmer, Angie. Aber ich glaube, das Ganze wird sich bald aufklären."

„Hoffentlich."

Simon Schweitzer hatte den Eindruck, daß seine Schwester in den letzten Tagen noch dünner geworden war. Wie er sie kannte, litt sie momentan mit Karin Schwarzbach, Angie war in jeder Hinsicht sehr emotional veranlagt.

Die Unterhaltung schleppte sich so dahin. Sobald Herr Schweitzer das Gefühl hatte, ein Aufbrechen seinerseits würde nicht als Unhöflichkeit aufgefaßt werden, verabschiedete er sich hurtig.

Draußen nahm er das schöne Wetter wahr. Einige Häuser weiter wies ein Schild darauf hin, daß dieses Haus bis zur Machtergreifung der Nazis dem damaligen Bürgermeister Ludwig Landmann als Heimstatt diente, der seiner jüdischen Abstammung wegen nach Holland emigrieren mußte. Und so einer wie Schwarzbach genießt hier heutzutage Anerkennung, dachte Simon Schweitzer bitter, lernt dieses Volk nichts dazu?

Wenig später stand er vor einem Geschäft, in dessen Schaufenster Fernsehgeräte flimmerten. Auf einem Bildschirm war Klaus-Dieter Schwarzbach mit einem Gesprächspartner zu sehen. Interview vom 3. April, war unten eingeblendet. Urplötzlich erschauderte Simon Schweitzer bei dem Gedanken an die Endlichkeit irdischen Lebens. Es ist schon seltsam, überlegte er, wie nahe ihm die Sache ging, und das nur, weil er den Vermißten vor langer Zeit höchstselbst gekannt hatte. Dann wurde ein Standbild mit dem jägergrünen Geländewagen gezeigt. Er konnte sich den Text dazu denken, vielfach hatte er ihn am Frühstückstisch gelesen. Erst jetzt fiel ihm auf, daß die einzige Information, die er von seinem Schwager bekommen hatte, die war, daß nach dem polnischen Hausmädchen gefahndet wurde. Schmerzlich wurde Simon Schweitzer sich seiner Rolle als einziger Intimus der Hagedornschen Ehegemeinschaft bewußt. Und als Freundschaft würde er das auch nicht bezeichnen, mehr als eine zarte Verwandtschaftsbande war es nicht.

Dann ging er noch einen Ring Fleischwurst fürs Abendmahl kaufen. Zu Hause öffnete er Lauras Zimmer, die in der Innenstadt in einem Architekturbüro arbeitete. Von ihrem Bett nahm er einen kniehohen Stoffelefanten, setzte ihn in die regenbogenfarbene Hängematte und schaukelte ihn. Mit der rechten Hand übte er ein wenig Druck auf den drolligen Dickhäuter aus, so daß sich die Seile spannten. Argwöhnisch beobachtete er die Hakenschrauben an beiden Enden. Offenbar hielten sie. Aber trotzdem. Er ging in sein Zimmer Musik hören.

Vor dem Weinfaß durchsuchte eine verdreckte weibliche Gestalt einen orangenen städtischen Mülleimer, der an einem Halteverbotschild befestigt war. Herr Schweitzer dachte an Wohlfahrtsstaat und trat ein. Bertha las Zeitung.

„Guten Abend allerseits."

Sie sah auf. „Guten Abend Simon. Wieder mal auf einem Streifzug durch die Gemeinde?"

„Mein Hobby, nach wie vor."

Als Wein der Woche bot sich ein in Ton-Amphoren vergorener südportugiesischer Tinto de Talha aus dem Alentejo an. „Den hätte ich gerne, wenn's keine Umstände macht."

Bertha folgte Simon Schweitzers Blick zur Tafel. „Eine ausgezeichnete Wahl. Du hast letztens auch deine Jacke hier vergessen.

Das war doch deine?"

„Ja. Schreib die Jacke am besten mit auf den Deckel, damit ich nachher dran denke."

Bertha lachte. „Du hast Einfälle."

Es entstand eine kleine Pause, in der sie die Bestellung bearbeitete. „Ach, übrigens möchte ich mich von dem distanzieren, was ich am Samstag über Klaus-Dieter gesagt habe."

„Was genau?"

„Na, daß dem nichts passiert sei. Das Ganze wird immer mysteriöser, findest du nicht?"

Simon Schweitzer schwenkte das Glas an seiner Nase. „Ja, seltsam." Da Bertha nichts erwiderte, entschloß er sich für die offensive Variante: „Ich hab gehört, das polnische Hausmädchen wird auch vermißt."

„Janina? Das kann ich mir beim besten Willen nicht vorstellen, daß die was mit Klaus-Dieter hat. Das hätte mir Karin erzählt. Verschwunden, soso." Mit leerem Blick schaute sie aus dem Fenster.

„Wieso kannst du dir nicht vorstellen, daß da mit dieser Janina und Klaus-Dieter was läuft? Er sieht doch gut aus", lockte Simon Schweitzer mit Raffinesse.

„Er schon, aber Janina ist so eine richtige Landpomeranze. Und Klaus-Dieter fickt mit Niveau. Glaub mir, ich hab früher ein paar von seinen Gespielinnen kennengelernt, als er noch in Sachsenhausen sein Jagdrevier hatte."

Berthas Ausdrucksweise hatte an Derbheit gewonnen, registrierte Simon Schweitzer. „Aber wieso ist Janina dann auch verschwunden. Das ergibt doch keinen Sinn."

„Ich weiß nicht, kann ich dir auch nicht erklären. Aber frag doch mal Maria, da kommt sie gerade."

Herr Schweitzer konnte mit dem Namen Maria so ad hoc nichts anfangen. Erst als sie im ortsüblichen Sicherheitsabstand von ihm am Tresen stand, erinnerte er sich. Karin Schwarzbachs Begleiterin vom letzten Samstag, auch an dem Abend mit Babsi war sie dabei. Und das war erst drei Tage her. Mein Gott, dachte Simon Schweitzer, was seitdem alles passiert ist.

„Hallöchen Bertha", grüßte Maria und nickte auch in seine Richtung. Herr Schweitzer nickte galant zurück. Sie trug einen halblangen schwarzen Rock, der ihr in Kombination mit einer roten Seidenbluse sehr vorteilhaft stand.

„Hallo Maria."

„Ich trink erst einmal eine Cola. Die letzten Tage waren nicht gesund."

Als sie Maria das Getränk servierte, fragte Bertha: „Wir haben uns gerade über Klaus-Dieter unterhalten. Kannst du dir vorstellen, daß der die Janina knallt?"

Mißtrauisch beäugte diese Simon Schweitzer. Da aber Bertha die Frage so rundheraus in dessen Beisein gestellt hatte, schien das für Maria in Ordnung zu gehen. Der Herr schien eingeweiht zu sein. „Niemals. Ich weiß das. Karin hat sich die letzten zwei Tage an meiner Schulter ausgeweint, die Arme weiß überhaupt nicht mehr, wo vorne und hinten ist."

„Kann ich mitfühlen", pflichtete Bertha bei, und auch Simon Schweitzer nickte.

„Ihr seid gut befreundet." Herr Schweitzer hatte die Intonation bewußt zwischen Frage und Feststellung angesiedelt.

Maria zögerte wieder ein wenig, so als ginge es ihr nun doch zu intim zu. „Ja. Karin ist auf der verzweifelten Suche nach Halt und Geborgenheit." Während des Satzes hatte sie sich Bertha zugewandt.

„Ja, die Weibergeschichten von Klaus-Dieter", seufzte Bertha.

Maria wütete: „So ein erbärmliches Männeken, muß immer und immer beweisen, daß er's sexuell noch bringt. Widerlich."

Simon Schweitzer war jetzt froh, keinen Blickkontakt zu Maria zu haben. Wer weiß, vielleicht wäre er ja gleich mit in Sippenhaft genommen worden. So, das mußte er sich eingestehen, hatte er Maria nicht eingeschätzt. Ihn sollte es nun nicht mehr wundern, wenn sich hinter dem scheinbar unscheinbaren Persönchen eine waschechte Emanze verbarg. Er, Simon Schweitzer, jedenfalls, würde fürderhin auf der Hut sein. Um das Gespräch geschickt weg vom Geschlechterkampf hin auf neutralen Boden zu lenken, bestellte er noch einen Vinho Tinto.

„Schmeckt der?" fragte Maria mit tieferotischer Stimme in seine Richtung.

„Ja, ganz nett." Neutralität wahren.

„Berthachen, dann mach mir doch gleich einen mit. Das mit der Cola ist nichts."

Es kamen neue Gäste, die sich um ein Faß gruppierten. Bertha kannte sie, denn man begrüßte sich mit Küßchen auf Wangen und herzte sich innig. Derart allein gelassen, hatte Simon

Schweitzer das Gefühl, von Maria unverhohlen gemustert zu werden. Unbehaglich trat er von einem Fuß auf den anderen. Er war nervös. Gehen konnte er nicht, er hatte ja eben erst ein frisches Glas bekommen, und außerdem sähe es nach dem aus, was es war. Flucht. Dabei wollte er doch gar nichts von ihr. Aber vielleicht täuschte er sich, und sie schaute gar nicht in seine Richtung. Um sich davon zu überzeugen, blieb ihm nichts anderes übrig, als seinen Blick auf sie zu lenken. Das könnte man wie zufällig aussehen lassen, überlegte er. Wenn jetzt zum Beispiel jemand herein käme, hätte er einen triftigen Grund für einen Kopfschwenk gehabt. Aber die Tür blieb zu. Jetzt müßte er mählich die Situation entschärfen, denn je länger der Zustand andauerte, desto peinlicher wurde es für ihn. Simon Schweitzer führte sein Glas an die Lippen und beim Absetzen bot sich ihm die Gelegenheit, denn das Absetzen an sich betrachtete er als einen neuen Handlungsablauf, und damit als Chance für einen Neubeginn. Rein willkürlich ließ er seinen Blick durch das Weinfaß schweifen. Damit konnte er freilich schlecht bei Maria beginnen, daher eröffnete er das Umherschweifen beim Schaufenster, setzte es bei den Gästen plus Bertha fort und wollte en passant zu Maria übergleiten, als er aus dem Augenwinkel erkannte, daß sie ihn immer noch fixierte. Doch es half alles nichts, da mußte er durch, er hatte seinen Mann zu stehen. Als er bei Maria anlangte, war ihm, als wäre sie seinem Blick im allerletzten Augenblick ausgewichen. Oder bildete er sich das ein, hatte sie vielleicht schon die ganze Zeit so gedankenverloren in eine unendliche Ferne geschaut? Wie auch immer, er war aus dem Gröbsten raus. Und wenn er es recht bedachte, war nun die Gelegenheit da, er mußte sie nur beim Schopf packen, seinerseits Maria etwas genauer unter die Lupe zu nehmen. Letzten Freitag hatte ihm ja Babsi sozusagen den Blick verstellt und tags darauf ... Ja, was war denn da eigentlich? Da es Herrn Schweitzer nicht spontan einfiel, was da eigentlich war, warum er Maria mehr oder weniger ignoriert hatte, stellte er das Grübeln darum umgehend ein. Jetzt war er im Jetzt, und es galt, das Oberwasser auszunutzen, in dem er trieb. Sie sah nicht schlecht aus, konstatierte er mit Kennerblick, aber, was soll denn das nun schon wieder? Maria schaute unverwandt zu ihm herüber, und er war gezwungen, sich spornstreichs einen anderen Augenhalt zu suchen. Nein, dann würde ja das Dilemma wieder von vorne beginnen. Also erwiderte er ihren Blick, hob erneut sein Glas und prostete ihr zu. Dies war zwar mehr eine Geste unter Männern, aber was soll's. Marias Reaktion überrumpelte ihn, sie nahm ihr Glas und stellte sich ohne ortsüblichen Sicherheitsabstand dicht neben ihn.

„Wie geht's dir denn?" kam von ihr eine Eröffnung, die Simon Schweitzer als ebenso simpel wie genial empfand. Das hatte was. Er selbst hätte wieder ewig überlegt, was in einem solchen Fall wohl opportun war. Aber so hatte sie quasi das ganze Parkett vor ihm ausgebreitet, auf dem sie sich zu bewegen gedachte. Von einer einfachen Simplizität bis hin zu einer überbordenden Genialität war alles drin. Herr Schweitzer brauchte also bloß den Ball anzunehmen.

Genau das tat er auch: „Ach, ganz gut. Und dir?" Damit war der Ball mit leichtem Topspin zurückgebracht, und es entwickelte sich ein zunehmend interessanter werdendes Gespräch über Gott und die Welt, in dem beide versuchten, mit leichthin eingebrachter Allgemeinbildung den jeweils anderen in den eigenen erotischen Bannkreis zu ziehen. Da Maria das Thema Karin und Klaus-Dieter Schwarzbach mied, präsentierte sich Herr Schweitzer sehr einfühlsam und verlor darüber auch kein Wort. Sensibilität war nämlich sein zweiter Vorname.

Späterhin war das Weinfaß gerammelt voll, erstaunlich genug für einen Montag, so daß man allein von der Akustik her die Köpfe sehr zusammenstecken mußte, wollte man sich noch gepflegt unterhalten. Simon Schweitzer schnupperte unauffällig den in der Luft hängenden Parfümgeruch Marias. Ein Rosenholz-Jasmin-Orangenblüte-Koriander-Gemisch, wenn er sich nicht täuschte.

Unter normalen Umständen war es nicht seine Art, den Abend in einer einzigen Kneipe zu verbringen. Allerdings grämte es ihn auch nicht sonderlich, wenn es sich ab und an so begab.

Sehr spät verabschiedete man sich, und Herr Schweitzer hatte das untrügliche Gefühl, Maria sehr den Kopf verdreht zu haben. Explizit verabredet für morgen oder einen anderen Tag hatte man sich nicht, gegebenenfalls würde man sich sowieso im Weinfaß wiedersehen. Nur nicht zu aufdringlich wirken, mahnte sich Simon Schweitzer, das würde nur den Zauber des Abends vernichten. Hier war Fingerspitzengefühl gefragt, genau das, was ihn auszeichnete. Exakt auf diesem Gebiet hatte er in letzter Zeit nämlich eine außerordentliche Reife an sich beobachten können.

Tschüssi, bis die Tage, hatte Maria abschließend gesagt. Das war nicht viel, ehrlich gesagt, aber auch nicht nichts, und für Simon Schweitzer, in allererster Linie Optimist, konnte man darauf aufbauen, das Abendland war noch nicht vollständig perdu, lediglich seine Jacke hatte er wieder vergessen.

Zu Hause hing der süße Seehund am Bord, und dementsprechend geräuschlos bewegte sich Herr Schweitzer. Der Abend hatte ihn sehr verwirrt. Um wieder mehr Klarheit in seine Gedankenwelt zu bekommen, baute er sich einen Extremjoint. Dabei dachte er, daß es demnächst vonnöten sei, sich um Nachschub zu kümmern, es war nicht mehr viel vom Dipayal Charras übrig.

Mannohmann, das war aber auch wieder ein Extremjoint gewesen. Seine Glieder wollten partout nicht aus der Ruheposition heraus. Also probierte es Simon Schweitzer erst einmal mit dem Kopf. Es klappte. Aber was er sah, war nicht mit dem Fensterausschnitt der letzten Tage identisch. Zwar standen die Bürotürme Frankfurts nach wie vor, doch waren die Rahmenbedingungen eher düster. Grau, ja fast schon schwarz fegte eine Wolkenbank nach der anderen rasant am Fenster vorbei. Erst hatte Herr Schweitzer gedacht, es wäre die Dämmerung, aber ein Blick auf die Wanduhr hatte ihn eines Besseren belehrt. Er rollte sich auf die Seite und blickte in das Gesicht seiner Mutter, die kupfern eingerahmt im Großformat an ihrem posthumen Ehrenplatz auf der gotischen Stollentruhe des ausgehenden fünfzehnten Jahrhunderts stand. Neben der drei Meter hohen Skulptur Traktor beweint Ernte, die ihren Durchbruch als Künstlerin von Welt eingeläutet hatte, wirkte sie ein wenig verloren. Traktor beweint Ernte wurde weiland noch während der sechsten Documenta für eine horrende Summe von einem französischen Versicherungskonzern aufgekauft und ziert noch heute das stadiongroße Foyer der Hauptzentrale im Pariser Stadtteil Les Halles. Das einzige Gebiet, auf dem seine exzentrische Mutter so etwas wie Normalität walten gelassen hatte, war die Erziehung ihrer Kinder gewesen. Herr Schweitzer war überzeugt davon, daß seine Halbschwester und er durchaus wohlgeraten waren, obzwar im Haushalt eine männliche Hand gefehlt hatte. Angies Vater hatte sich damals kurzerhand durch Vaterlandsflucht seiner Verantwortung entzogen und war erst mit der Volljährigkeit seiner Tochter wieder aus der Versenkung aufgetaucht. Simon Schweitzers eigener war ihm ja, wie bereits erwähnt, nicht bekannt.

Während dieser Vergangenheitsbewältigung hatte Herr Schweitzer schon mal ein Bein über dem Bettrand baumeln lassen. Mit einer gekonnten und schon früher hin und wieder praktizierten, also eingeübten, Drehbewegung hievte er sich nun gänzlich aus seiner vierpfostigen Ruhestätte. Wegen der Schnelligkeit jenes Vorgangs und dem restlichen Tetrahydrocannabinol in seinem Großhirn wurde ihm ein wenig schwindelig. Des besseren Heilungsprozesses wegen verharrte er einige Sekunden im absoluten Stillstand, bevor er sich Richtung Kaffeemaschine manövrierte.

Zweieinhalb Stunden später hatte Simon Schweitzer gefrühstückt und drei Tageszeitungen durchgelesen. Den Berichten zufolge war der Geländewagen weiterhin verschwunden, und es wurden dringend Zeugen gesucht, die den Stadtverordneten Schwarzbach nach sechzehn Uhr letzten Freitag noch gesehen hatten. Dies war laut Ermittlungen der Zeitpunkt, zu dem er sich im Rathaus von einem Kollegen verabschiedet hatte, und seitdem war er wie vom Erdboden verschluckt. Für alle, die ihn nicht kannten, war der vermißte Schwarzbach mit seinem amerikanischen Zahnfleischgrinsen abgebildet, das fast die Hälfte des Gesichts einnahm. Simon Schweitzer hatte bei diesem Anblick wieder einmal würgen müssen.

Durch die relative Schwere seiner Gliedmaßen wurde Herr Schweitzer wieder seines gestrigen Extremjoints andächtig und dadurch folgerichtig an das zur Neige gehende Dipayal Charras erinnert. Schwerfüßig ging er zum Telefon und rief seinen Dealer an. Er bestellte fünf Döner. Dies war der vereinbarte Code, der einjeden versierten Geheimagenten vor Neid hätte erblassen lassen. Dagegen war die Enigma-Chiffriermaschine für die siegreichen Engländer lediglich ein Kinderrätsel für Fortgeschrittene gewesen. Kaum hatte Simon Schweitzer den Hörer aufgelegt, klingelte das Telefon erneut. Er befürchtete, sein Dealer würde zurückrufen und ihm mitteilen, daß aufgrund unvorhergesehener Razzien der Nachschub erheblich stockte, aber es war zur allgemeinen Erleichterung nur sein Schwager Hans, der ihn darüber informierte, daß man Schwarzbachs Wagen mit gefälschten Nummernschildern an der polnischen Grenze aufgespürt hatte. Der Fahrer, ein Pole, wurde gerade vernommen, hatte es in den Fernsehnachrichten geheißen. Sein Schwager hatte einen Tonfall gewählt, der unmißverständlich zum Ausdruck brachte, daß es sich nun nur noch um Stunden handeln konnte, bis das verschwundene polnische Hausmädchen im Verbund mit dem polnischen Fahrer des heimtückischen Mordes an dem Politiker überführt werden würde. Simon Schweitzer hegte den Verdacht, sein Schwager favorisiert den teuren Geländewagen als niederes Mordmotiv. Kurz angebunden richtete er noch Grüße an seine Schwester aus und legte auf.

Nachdem Herr Schweitzer sich bei seiner Bank mit einem größeren Geldschein versorgt hatte, ging er zum Dönerladen, schräg gegenüber des Deutschordenhauses. Es war nichts los, aber das konnte ihm nur recht sein. Giorgio-Abdul drehte sich um, und sein Auge strahlte Wärme und Freude aus.

„Simon, du Hühnerdieb. Schön dich zu sehen."

Giorgio-Abdul war die abenteuerlichste Gestalt Sachsenhausens. Halb Italiener, halb Tunesier war er als Moslem in Deutschland aufgewachsen und bei Kriegsausbruch auf dem Balkan in den Krieg gegen ein Groß-Serbien gezogen, ohne je eine Sure gelesen zu haben, geschweige denn arabisch oder serbokroatisch zu sprechen. Lediglich eine abstruse Abenteuerlust hatte ihn getrieben. Sein Auge hatte er dann auch nicht honett in einer Bataille verloren, sondern der Söldnertrupp, dem er angehörte, hatte versehentlich ein Getränke- statt ein Waffendepot erobert, und gen Mitternacht war Giorgio-Abdul dann volltrunken mit dem linken Auge in einen abgebrochenen Ast gestolpert. Bis dahin hatte er noch keinen einzigen Schuß abgefeuert. Und dabei blieb es. Eine schwarze Augenklappe ließ ihn verwegen aussehen. Und für Krieg war er von da an krank geschrieben. Er zählte noch nicht einmal dreißig Lenze.

„Geht mir genauso", erwiderte Simon Schweitzer.

Giorgio-Abdul stellte eine Dose Cola auf den Tresen und legte eine Zigarettenpackung daneben, die Herr Schweitzer sofort in die Hosentasche steckte. Es war zwar kein weiterer Gast anwesend, aber - Vorsicht war schon immer die Mutter der Porzellankiste. Er reichte Giorgio-Abdul eine Zehn-Euro-Note, in die geschickt der große Geldschein gefaltet war, und die wiederum Giorgio-Abdul in seiner Weste verschwinden ließ. Das Wechselgeld für die Cola legte er klimpernd auf die Glasvitrine, in der Tomaten, Zwiebelringe, Knoblauchsoße und Salatblätter appetitlich ihre Frische zur Schau trugen und auf ihren Verzehr warteten. Geflissentlich übersah Simon Schweitzer den sich langsam um seine Achse drehenden Gyrosspieß, er hatte ja erst gefrühstückt.

„Nichts los“, interpretierte er den Umstand, daß nichts los war.

„Nein, Geschäfte laufen schlecht in letzter Zeit, weißt du.“ Simon Schweitzer wußte. Seit den New Yorker Terroranschlägen hatten arabische Geschäftsleute oder solche, die auch nur entfernt danach aussahen, enorme Umsatzeinbußen zu verzeichnen. Giorgio-Abdul fuhr fort: „Aber was soll man machen? Leben muß weitergehen.“

„Ja, das muß es.“

„Blöd ist nur, weißt du, daß die Kunden mir dafür die Schuld geben.“

„Ja. Die Leute können halt nicht unterscheiden, werfen immer alles in einen Topf.“ Herr Schweitzer war jetzt ganz traurig gestimmt. Um seinen Haus- und Hoflieferanten etwas aufzumuntern, fügte er hinzu: „Aber beruflich hast du ja zum Glück noch ein anderes Standbein.“

Giorgio-Abdul brauchte ein paar Sekunden bis er verstand, aber dann grinste er übers ganze Gesicht. „Ja, weißt du, man muß immer sehen, wo man bleibt. Immer horche, immer gucke, wie man hier sagt, weißt du.“

Simon Schweitzer fand es schon immer rührend, wenn sich Ausländer des Frankfurter Idioms bedienten. „Genau. Immer horche, immer gucke, dann wird schon alles gut gehen.“ Er schüttelte die Dose, um den restlichen Inhalt abzuschätzen und trank aus. „Dann mach's mal gut und halt die Ohren steif“, verabschiedete er sich.

„Ja, und du weißt, immer horche, immer gucke“, freute sich Giorgio-Abdul über die spaßige Redewendung, die er mit Simon Schweitzer austauschte.

Als er wieder auf der Straße stand, wurde er fast von einer Windböe mitgerissen. Herr Schweitzer wunderte sich, daß trotz dieses Weltunterganghimmels der Asphalt und die Gehwegplatten noch trocken waren. Fast hätte er es bis nach Hause geschafft. Ein Platzregen keine zweihundert Meter von Zuhause entfernt frappierte ihn nicht wirklich, durchnäßte ihn aber bis auf die Haut. Die nassen Klamotten schmiß er geradewegs in die Maschine, stopfte noch ein wenig andere Schmutzwäsche hinzu und stellte die Knöpfe auf Buntwäsche und dreißig Grad Wassertemperatur ein. Das machte er schon immer so, da konnte nichts verfärben. Sicher ist sicher, sagte er sich. Dann packte er sein neues Dope aus dem Silberpapier aus, roch daran und prüfte mit dem Fingernagel die Konsistenz. Der Zigarettenschachtel war ein kleiner Zettel beigepackt, auf dem in krakeliger Schrift die Worte Libanese aus dem Tal von Baalbek standen. Das war der Name des Produktes und Giorgio-Abduls Art von Kundenbetreuung. Als professioneller Konsument wußte Herr Schweitzer sofort die Qualität einzuordnen.

Er hatte lange mit sich zu kämpfen gehabt, um nicht schon am Nachmittag sein neues Hasch anzutesten, doch dann hatte sich Simon Schweitzer schweren Herzens für ein Mittagsschläfchen ohne jede Zutat entschieden. Das war auch gut so, denn er hatte noch einiges vor. Zunächst einmal hörte er Nachrichten, aber da wurde nur mitgeteilt, es sei nun zweifelsfrei erwiesen, daß es sich bei dem sichergestellten Geländewagen um das Gefährt von Schwarzbach handelte. Sehr seltsam, dachte Herr Schweitzer, nach der polnischen Haushaltshilfe wurde immer noch nicht öffentlich gefahndet.

Dann bummelte er noch ein wenig herum, hängte die Wäsche auf, hörte Musik und staubwedelte oberflächlich sein Zimmer, bis es an der Zeit war, sich für ein Abendessen Beim Zeus zu richten, dort würde ja heute, laut Theophilos, die Bürgerinitiative ihre Sitzung abhalten. Man kann ja mal vorbeischauen. Völlig unverbindlich, versteht sich.

Es regnete in Strömen, aber Simon Schweitzer war gewappnet und spannte den Schirm auf. Der Wind hatte nachgelassen. An der Bushaltestelle am Affentorplatz hatten sich die üblichen Obdachlosen eingefunden, darunter auch die dicke Gertrud, die ihren ehemaligen Klassenkameraden traditionell um einen kleinen Obolus anging. Herr Schweitzer war auch hierauf vorbereitet und drückte ihr einen Euro in die grindige Hand. Und ebenso traditionell rief sie ihm ein Gott vergelt's hinterher.

Beim Zeus wurde er überschwenglich von der zierlichen Roxane, Theophilos' Frau, begrüßt, die, so fand Simon Schweitzer, in letzter Zeit sehr gealtert war. Vorgestern hatte man sich ja nicht gesehen, weil sie ausschließlich in der Küche beschäftigt war. Jedoch notlog er: „Gut siehst du aus."

„Jáßu, hallo. Immer noch ganz der alte Charmeur, wie?"

Herr Schweitzer winkte ab. „Die Zeiten sind vorbei. Wo ist Theo?"

„Der holt noch unser Auto ab. War eine Woche in der Werkstatt. Aber kommt gleich wieder. Setz dich doch. Du magst doch bestimmt was essen. Gib deinen Regenschirm her. Der ist ja klitschnaß."

Simon Schweitzer nahm auf dem selben Stuhl wie am Samstag Platz.

„Violetta. Komm doch mal her", rief Roxane.

Beschürzt, ein Messer in der rechten und eine halb geschälte Zwiebel in der linken Hand kam die Tochter der Wirtsleute aus der Küche.

„Onkel Simon. Wie nett." Mit ausgebreiteten Armen und einem resignierten Schulterzucken bedauerte Violetta, ihn wegen Zwiebel und Messer nicht umarmen zu können. Sie überragte ihre Mutter um zwei Köpfe.

Über den Onkel mußte Herr Schweitzer schmunzeln. Er hielt diese Anrede schon lange nicht mehr für zeitgemäß, aber er tat nichts, dies zu ändern. Es hatte etwas familiäres, und daran mangelte es ihm zuweilen. Folglich blieb alles wie es war, Onkel Simon eben.

„Hallo Violetta. Kalispéra, guten Abend. Gut siehst du aus", charmierte er auch hier, „groß bist du geworden." Das hatte er früher immer zu ihr gesagt, worauf Violetta immer sehr stolz gewesen war und sich noch ein wenig mehr Richtung Erwachsensein gereckt hatte.

„Ich glaube, langsam bin ich groß genug", erwiderte die siebenundzwanzigjährige Wirtstochter. „Ich geh jetzt mal wieder in die Küche und paß auf, daß ich mich mit dem scharfen Messer nicht schneide, Onkel Simon. Ich kann dir übrigens das Stiffado empfehlen, hat die Chefin gestern persönlich eingelegt." Violetta entschwand. Die Chefin persönlich war sie selbst.

„Dann nehm ich doch das Stiffado und vielleicht ein Weißweinchen dazu."

„Einen Retsina?" fragte Roxane.

„Oh ja."

Herr Schweitzer hatte gerade den letzten Bissen Kaninchen, vollgesogen mit würziger Soße, genüßlich verdrückt, als Pfarrer Guntram Hollerbusch mit zwei Aktenordnern unter dem Arm und drei Atomkraft verneinenden Jutebeuteln in den Händen zur Tür hereinkam. Auf seiner Glatze perlten Regentropfen, die wie Schweiß aussahen.

„Na schau, der Schweitzer-Simon, Sachen gibt's." Der Pfarrer ging zu dem größten Tisch im Raum, auf dem ein Reservierschild stand und legte Ordner und Beutel darauf. Dann wischte er sich mit dem Hemdärmel das Naß vom Kopf.

Simon Schweitzer suchte nach einem Einstieg, denn die Konversation mit seinem ehemaligen Vertrauten ging nicht mehr so leicht von der Hand, und wurde fündig: „Guten Abend, Herr Pfarrer, was machen die Gemeindeschäfchen?"

Guntram Hollerbusch rieb sich die Hände als gelte es, einen großen Granitfindling vom Erdboden zu wuchten. „Denen geht's gut. Und wenn's mal nicht so läuft, steht Gott ihnen zur Seite." Er streckte Simon Schweitzer die Hand entgegen.

Nach dem Händeschütteln sagte Herr Schweitzer: „Das mit Klaus-Dieter, sehr mysteriös, oder?"

„Mehr als das, Simon, mehr als das. Aber vielleicht geht ja noch alles gut aus. Obwohl, allein der Glaube fehlt mir."

„Mir auch", Simon Schweitzer deutete auf die Stühle, „wollen wir uns nicht setzen? Ich hol nur noch schnell mein Glas."

„Natürlich." Guntram Hollerbusch legte die Ordner beiseite. Und als Simon Schweitzer wieder da war: „Ich hab gehört, du arbeitest so ein bißchen nebenher für deinen Schwager."

Er war zu verblüfft, um etwas zu sagen. Mit offenem Mund starrte er den Pfarrer an.

„Na ja, du weißt ja, Sachsenhausen ist ein Dorf", wiegelte Hollerbach ab und zwinkerte mit den Augen. „Aber mach dir keine Sorgen, von mir erfährt niemand was."

Herr Schweitzer hatte seine Sprache wiedergefunden: „Ja. Karin hat die Detektei beauftragt, nach ihrem Mann zu suchen. Das ist natürlich Schwachsinn, das ist schließlich Sache des BKA."

„Karin?"

„Ja. Karin." Simon Schweitzer wollte noch fragen, ob er das nicht gewußt habe, wo er doch schon wisse, daß er für seinen Schwager Hans Hagedorn arbeite, ließ es aber sein, da der Pfarrer mit seinen Gedanken augenscheinlich woanders war.

Als Hollerbusch von seiner Safari wieder zurück war, sagte er leise: „Ja, die Karin. Was die so alles mitmachen muß. Sie hat bestimmt kein leichtes Leben."

Nein, das hatte sie bestimmt nicht, glaubte auch Simon Schweitzer. In diesem Moment kam Theophilos herein und im nächsten Roxane aus der Küche. Die Wirtin wollte gerade den

Pfarrer, und Theophilos alle beide begrüßen, als die Tür erneut aufging und im Durchgang mehrere Regenschirme samt ihren Trägern ein mittleres Chaos verursachten, das durch ein enormes Stimmengewirr phonische Unterstützung erhielt. Theophilos, ganz der mit allen Wassern gewaschene Kneipier, löste geschwind den gordischen Knoten, und kurz darauf saß die Gruppe an drei zusammengerückten Tischen, und Roxane nahm schon die Getränkwünsche entgegen. Aus kleinen Lautsprechern ertönte ein auf orientalischen Elementen basierender Rembetika und verbreitete beruhigende Urlaubsatmosphäre.

„Hallo Guntram, wie geht's?“ holte Theophilos die Begrüßung nach.

„Danke gut. Was gibt's denn heute besonderes zu essen? Ich hab einen Bärenhunger.“

„Das Stiffado war sehr lecker“, intervenierte Herr Schweitzer.

„Stimmt“, bestätigte Theophilos. „Und es sind nur noch wenige Portionen da.“

„Gut, dann bring mir eine davon.“

Zufrieden ging Theophilos mit der Bestellung davon. Der Pfarrer wandte sich wieder an Simon Schweitzer: „Sag mal, ich hab auch gehört, du bist kein Straßenbahnfahrer mehr.“

Simon Schweitzer war froh, daß sich die Wärme von einst langsam wieder zwischen ihnen einstellte und erzählte, warum er so gut wie gar nicht mehr zu arbeiten brauchte, daß er, ausgenommen der Banken natürlich, einer der wenigen Gewinner des letzten Aktienbooms war, und daß es ihm nicht zuletzt deshalb soweit ganz gut gehe. Und Guntram Hollerbusch berichtete, wie es ihm die letzten Jahre so ergangen war, daß seine kleine Gemeinde des Barmherzigen Heilands von Nazareth und Umgebung sich mit einer der großen Konfessionskirchen, denen die Mitglieder davonliefen, das Gotteshaus teilte. Church-sharing, meinte er augenzwinkernd zu Simon Schweitzer. Und daß er wieder mittendrin sei in der Basisarbeit gegen den Flughafenausbau, für ein Nachtflugverbot und gegen die neue Einflugschneise sowieso. Und ob er, Simon Schweitzer, denn nicht wieder Lust bekäme mitzuarbeiten. Nur so ein bißchen, vielleicht. Er wisse ja, daß er sich aus der Politik gänzlich heraushalte seit damals, aber sie brauchten jede Frau und jeden Mann, solche Massen wie damals ließen sich freilich nicht mehr so einfach mobilisieren. Dann erzählte man sich noch ein paar olle Kamellen aus der Startbahn-

West-Zeit wie zum Beispiel, als die kleine Glocke der mit Brettern windschief zusammengezimmerten Kirche des Hüttendorfes krachend zu Boden fiel, weil sie irgendwer mit einem zu dünnen Seil befestigt hatte, oder wie er, Guntram Hollerbusch, bei einem Scharmützel mit den Ordnungskräften, obwohl Handlanger des Systems hier treffender wäre, fügte der Pfarrer hinzu, seinen Schlüsselbund verloren hatte und deswegen über des Nachbars Balkon in seine eigene Wohnung hatte einbrechen müssen. Dann brachte Theophilos das Stiffado.

„Guten Appetit."

„Danke."

Derweil der Pfarrer aß, kamen nach und nach die Bürger der Initiative, insgesamt sechs an der Zahl. Ein Pärchen mit Anti-Buttons dekoriert wie russische Generäle der Oktoberrevolution, zwei streitbare Rentnerinnen und ein soignierter Herr vom Lerchesberg, die besonders vom Fluglärm betroffen und bis zur letzten Wahl erzkonservative Stammwähler waren, und ein Mädchen mit modischem Kurzhaarschnitt, der man die Volljährigkeit nicht ansah, bildeten die illustre Runde. Guntram Hollerbusch hatte Simon Schweitzer mit einem Retsina geködert, doch noch ein Weilchen zu bleiben. Emotionslos hörte er der Diskussion zu. Er würde sich da nicht hineinziehen lassen.

Nach einer halben Stunde ließ sich Herr Schweitzer die Rechnung kommen, durfte aber erst gehen, nachdem er sich in einer Unterschriftenliste eingetragen hatte. Man würde wieder von sich hören, hatten sie einander versprochen, und es sollte nicht wieder so viel Zeit verstreichen wie seit dem letzten Mal. Simon Schweitzer war heilfroh, von Theophilos' Ouzo-Orgie verschont geblieben zu sein.

Draußen vor der Tür regnete es immer noch, und er mußte noch einmal hineingehen und sich von Roxane seinen Schirm geben lassen.

Vor dem Weinfaß prügelten sich zwei halbstarke Zeitgenossen im Regen um einen Parkplatz, was ob der unterschiedlichen Kampfstile nicht sehr telegen wirkte. Der größere der beiden übte sich im traditionellen Boxstil mit Linksrechtskombinationen gewürzt mit Rechtsauslegern, die aber allesamt ins Leere trafen, während der kleinere, ein drahtiges Kerlchen mit fast schon männlichem Bartwuchs, die zeitlichen Räume zwischen den nutzlosen Kombinationen des anderen dazu nutzte, seinem Gegner eine Ohrfeige nach der anderen zu verpassen, wovon die himbeerroten Wangen des Kontrahenten überreich Zeugnis ablegten. Es hatte sich schon einiges an Publikum eingefunden, das aber nicht wirklich an einem Ende des Dargebotenen interessiert war. Unauffällig hatte sich ein kleiner Junge unter Herrn Schweitzers Schirm geschoben, damit er ein wenig vom Regen geschützt war. Nun hatte aber der Große offensichtlich genug davon, sich so viele Ohrfeigen einzufangen und brachte seine grotesken Rechtslinkskombinationen zum Stillstand. Man wechselte ins Verbale. Schimpfkanonaden prasselten auf den Kleinen ein, Schimpfkanonaden prasselten auf den Großen ein, wobei Simon Schweitzer sich fragte, was um alles in der Welt ein Dösbaddel sei, das hatte er ja noch nie gehört, obzwar es sehr gut in den hiesigen Sprachraum paßte.

Ein Polizeiwagen bog um die Ecke. Der Kleine erblickte ihn zuerst, was ihn dazu veranlaßte, in seinen warnblinkerblinkenden Wagen zu steigen und wegzufahren. Der Große war wegen dessen Verhalten gar arg verwundert, blickte sich um und fuhr auch davon. Das Publikum verstreute sich, der kleine Junge bedankte sich artig bei Simon Schweitzer für den Regenschutz, und die Parklücke war nach wie vor eine ungenutzte Lücke zum Parken.

Herr Schweitzer betrat das Weinfaß und erblickte zu seinem großen Erstaunen Maria am Tresen, heute schlicht in Jeans und weißem Männerhemd gekleidet. Nach seinem Dafürhalten sah sie sehr fesch darin aus.

„Du hast gestern deine Jacke vergessen“, wurde er von Bertha begrüßt. Maria strahlte ihn sehr liebevoll an.

Simon Schweitzer ignorierte den völlig überflüssigen Spruch mit der Jacke und fragte statt dessen: „Weiß jemand, was ein Dösbaddel ist?“

„Na, so was wie ein Dabbes“, kam es von Maria, die aber noch Bestätigung einfordernd Bertha anschaute.

„Logisch, ein Dabbes. Was sonst?“ sagte Bertha, und somit war es amtlich, ein Dösbaddel ist ein Dabbes. Nun gut.

Herr Schweitzer bestellte wieder den leckeren portugiesischen Vinho Tinto von gestern und dazu ein großes Wasser, man wollte ja noch was vom Abend haben.

„Wie geht’s heute?“ fragte er, diesmal nicht allgemein in den Raum hinein, sondern direkt zu Maria gewandt. Man kann sich nämlich auch tot taktieren, war seine dezidierte Meinung bezüglich der mannigfaltigen Anwendung taktischer Raffinesse.

„Ganz gut, danke, Simon."

Das klang doch schon recht vertraut, bemerkte er für sich, und schon war man wieder mittendrin im Rumgeflirte.

Derweil wurde es dunkel, Gäste kamen, Gäste gingen, und in Afrika stürzte eine Regierung, die aber selbst ohnehin nur einen kurzen Monat im Amt war. Herr Schweitzer war schon guter Hoffnung, daß die ganze Chose beiläufig in der sexuell beeinflußten Frage gipfeln könnte, zu wem man denn nun ginge, die restliche Nacht zu verbringen, als Karin Schwarzbach zur Tür hereinkam.

„Ah, guten Abend, Gott sei Dank, daß du da bist, Maria. Kannst du mir Geld leihen?" Karin trug eine Sonnenbrille, die sie erst absetzte, als sie sich am Tresen eingerichtet hatte. Verquollene Augen, tiefe Furchen und gerötete Pupillen zeichneten ihr Gesicht.

Maria kramte in ihrem Portemonnaie und überreichte Karin wortlos ein paar orangefarbene Scheine.

„Danke. Du bist ein Schatz. Was würde ich nur ohne dich machen?"

„Karin kommt momentan nicht an Klaus-Dieters Konto. Und ein eigenes besitzt sie nicht. Das Schwein hat ihr keine Kontovollmacht erteilt", erklärte Maria, und Simon Schweitzer fragte sich, warum sie ihm das erzählte.

Als Karin das Geld einsteckte, zitterten ihre Hände leicht, was zu verbergen ihr nicht gelang. Sie bestellte einen Weißwein, den Bertha auch sogleich einschenkte, und Karin ebensogleich austrank. Sie seufzte schwer, und die Wirtin goß umgehend nach. Als auch dieses Glas halb ausgetrunken war, schien sie wieder Frau ihrer Nerven zu sein. „So, das tat gut, das glaubt ihr gar nicht."

„Doch", widersprachen Maria und Bertha unisono. Herr Schweitzer hielt sich da raus.

„Wo warst du denn heute? Ich dachte, du würdest mal anrufen oder so. Ich hab mir Sorgen gemacht", meinte Maria.

„Das BKA ist fast den ganzen Tag bei mir gewesen. Sie nehmen jeden Quadratzentimeter von Klaus-Dieters Arbeitszimmer auseinander. Am Sonntag haben sie sogar seinen Computer mitgenommen. Bei uns sieht's aus, das könnt ihr euch gar nicht vorstellen." Hier bezog sie das erste Mal auch Simon Schweitzer

in die Runde mit ein. „Wenn doch bloß Janina wieder da wäre."
„Warum sagst du denn nichts? Ach, da hätte ich aber auch von alleine drauf kommen können, daß bei dir das Chaos ausgebrochen ist. Ich schick dir Janina gleich morgen früh vorbei."

Simon Schweitzer wußte bis dahin nicht, daß es sich bei Janina um die seit Tagen gesuchte Haushaltshilfe handelte, ahnte es jedoch und fragte sich, warum die Polizei nach der Dame fahndet, wo sie doch gleich morgen früh von Maria bei Karin vorbeigeschickt werden konnte. Er war etwas durcheinander und nahm sich vor, etwas genauer hinzuhören, auf daß sich das Rätsel in Bälde löse.

Das tat es aber nicht. Karin sah Maria an als wäre diese von allen Geistern verlassen. „Wieso bei mir vorbeischicken? Die ist doch weg."

Na also, dachte Simon Schweitzer.

„Wer ist weg?" fragte Maria, jetzt ebenfalls vollkommen durcheinander.

„Janina. Janina ist weg. Schon seit Freitag ist Janina weg", erklärte Karin und schüttelte den Kopf, als würde das Kopfschütteln schon dafür sorgen, nicht weiterhin im falschen Film zu sein.

„Natürlich ist Janina weg. Die Polizei sucht sogar nach ihr", mischte sich nun auch Herr Schweitzer ein. Er hielt dies für mehr als erforderlich, sollte das Ruder nicht vollends aus der Hand laufen. Daß er das Wissen von des Hausmädchens Verschwinden von seinem Schwager Hagedorn und dieser es wiederum von Karin hatte, ignorierte er völlig, respektive war sich dessen in der Hektik gar nicht bewußt. So wurde Karins vermeintliche Erkenntnis von dem Verschwundensein Janinas quasi und lediglich von ihrer eigenen, durch die Detektei Hagedorn an Simon Schweitzer weitergeleiteten Vermutung, denn nichts anderes war es schlußendlich, gestützt, was aber nur Geister durchschauen mochten, die nicht in die allgemeine Verwirrung involviert waren.

Diese Geister waren aber im Moment nicht anwesend, und so nahm das Tohuwabohu seinen folgerichtigen Verlauf, indem nun Maria sagte: „Ihr spinnt doch alle. Ich habe vorhin noch mit ihr gesprochen, und da war sie alles andere als verschwunden. Ich bin doch nicht blöd."

Nein, da mußte ihr Herr Schweitzer nun uneingeschränkt recht geben, blöd war sie nicht, sonst hätte er doch sofort etwas gegen seine aufkeimenden Gefühle für sie unternommen. Aber gerade als er dies bedachte, bemerkte er eine gravierende Unlogik. Wie konnte Maria Karins Hausmädchen bei Karin vorbeischicken? Um Karins Hausmädchen nämlich bei Karin vorbeischicken zu können, bedurfte es dringlich des Hausmädchens. Und ohne das Hausmädchen war ein Vorbeischicken desselbigen, egal wohin, seien wir ehrlich, nicht möglich. Folglich mußte Maria, und auf diese Schlußfolgerung war Simon Schweitzer nun besonders stolz, auf irgendeine wunderliche Weise über Janina verfügen können. Da, und nicht anderswo, galt es nun, den Hebel anzusetzen. Präzise fragte er also: „Wo ist denn Janina eigentlich gerade?"

„Bei mir oben, da wo sie immer ist. Sie geht ja abends nie weg. Und wieso sucht die Polizei nach ihr? Sind die vollkommen neben der Spur?"

Hier war seine Kunst als Moderator gefragt, sagte sich Simon Schweitzer intuitiv und stellte die alles entscheidende Frage leichthin in die Gegend: „Wenn Janina dort ist, wo sie hingehört, warum erzählt Karin der Polizei dann, daß Janina verschwunden ist?" Gute Frage.

Da Karin anwesend war, richteten sich nun alle Blicke auf sie. Außerdem herrschte eine Stille, die auf sämtliche Gäste übergegriffen hatte, nachdem es urplötzlich um den Tresen herum keinen wie auch immer gearteten Geräuschpegel mehr gab. Karin Schwarzbach brachte noch ein abgehacktes „Wie?" hervor, dann verstummte sie, glitt in eine andere Welt, schüttelte mehrmals verneinend den Kopf, starrte durch Simon Schweitzers Brustkorb hindurch, wechselte den Gesichtsausdruck, japste nach Luft und versuchte sich zu guter Letzt wieder im Hier und Heute zu orientieren. Man sah es ihr an, das Hier und Heute war nicht nach ihrem Geschmack. Sie radebrechte so leise, daß sie kaum zu verstehen war: „Deswegen hat die Polizei keine Sachen von Janina mehr bei uns gefunden."

Das verstand nun Herr Schweitzer überhaupt nicht, wurde aber von Maria aufgeklärt: „Klaus-Dieter hat Janina vor zwei Wochen vor die Tür gesetzt, und da ich noch ein Zimmer frei hatte und sie auch bei mir putzt, habe ich sie eben aufgenommen, die gute Seele. Ich glaube, Karin hat die Sache einfach nur vergessen, ist ja auch kein Wunder bei allem, was sie so durchmachen muß."

Maria ging zu Karin und nahm sie in den Arm, woraufhin die in den Armgenommene in hemmungsloses Schluchzen verfiel.

Simon Schweitzer sah zu Bertha, doch diese hatte ihren Blick auf den Fußboden geheftet, was ihn zu der Vermutung veranlaßte, daß die Wirtin momentan und entgegen ihrer Gewohnheit über die Geschehnisse auf dem Berg ganz und gar nicht auf dem Laufenden war. Er hätte da doch noch ein paar Fragen gehabt. Dies mußte Maria bemerkt haben, denn sie signalisierte ihm, sich noch einen Augenblick zu gedulden, denn erst mal galt es, Karin zu beruhigen.

Als dies so halbwegs gelungen war, sprudelte es aus ihr heraus: „Es gibt drei Haushalte, bei denen Janina arbeitet. Schwarzbachs, bei denen sie auch wohnte, ich und noch eine französische Familie, die aber die meiste Zeit im Ausland ist. Klaus-Dieter fand allerdings, daß Karin sie nicht richtig rannehme, darüber haben sie sich oft gestritten, nicht wahr, Karin?“

Karin schluchzte wieder.

„Auf alle Fälle hat Klaus-Dieter ihr dann letztens die Koffer vor die Tür gestellt, er wolle sie nicht mehr sehen. Donnerstags und freitags putzt Janina aber weiterhin bei Schwarzbachs. Wenn ihr mich fragt, spinnt unser Abgeordneter in letzter Zeit ganz schön, Janina ist nämlich eine echte Perle, nach so was kannst du heute lange suchen. Stimmt's, Karin?“

Jetzt konnte sich Karin überhaupt nicht mehr halten und alle Dämme brachen.

Für Herrn Schweitzer war nun zwar viel Licht ins Dunkel gebracht, aber die allgemeine Lage würde er weiterhin als durchaus heikel betrachten. Immerhin gab es da noch das Bundeskriminalamt, welches ein großes Interesse an dem Hausmädchen haben dürfte, also vergewisserte er sich: „Und Janina ist gerade bei dir oben zu Hause, wenn ich das richtig verstanden habe, Maria?“

„Ja“, auch sie hatte das Problem geortet, „ich würde also vorschlagen, wir rufen schnell die Polizei an und sagen denen, daß wir wissen, wo Janina ist und daß es sich um ein bedauerliches Mißverständnis handelt.“

„Das würde ich auf gar keinen Fall machen“, wandte Simon Schweitzer ein, der seine große Stunde gekommen sah. Alle schauten ihn gebannt an, selbst Karin hielt mit dem Geschluchze inne. „Wie wir sicherlich alle wissen, haben unsere Ordnungskräfte manchmal etwas merkwürdige Angewohnheiten, Festnahmen zu tätigen. In einem Fall wie diesem, wo es um das spurlose

Verschwinden eines angesehenen Politikers geht, sehe ich sie mit einer Sondereinheit und mehreren gepanzerten Fahrzeugen den Lerchesberg erklimmen, nach antrainierter Guerillakriegmanier Türen und Fenster aus der Verankerung sprengen und eine dem Herzinfarkt nahe Janina in Handschellen und Schlafanzug und in Maschinengewehrbegleitung abführen. Das sollten wir tunlichst verhindern."

„Aber wie?" Das war Bertha.

Simon Schweitzer wäre nicht Simon Schweitzer, wenn er darauf keine Antwort parat hätte: „Laßt mich mal machen. Ich hab da ein paar nützliche Beziehungen." Eine geheimnisvolle Aura umgab ihn, und es würde ihn nicht im mindesten wundern, wenn Maria schwer von ihm beeindruckt war. Er ließ sich von Bertha das Telefonbuch geben und rief das Sachsenhäuser Polizeirevier an. Der gewünschte Gesprächsteilnehmer hatte schon Feierabend und würde wahrscheinlich im Frühzecher anzutreffen sein. Simon Schweitzer bedankte sich und legte auf.

„Und? Wie geht's jetzt weiter?" fragte Maria.

„Am besten, du holst jetzt Janina und kommst wieder her. Dann fahren wir in den Frühzecher, dort sitzt ein Freund von mir, der kann uns weiterhelfen."

Maria blickte skeptisch drein, aber in Ermangelung eines besseren Vorschlages stimmte sie zu.

„Und was ist mit mir?" wollte Karin larmoyant wissen.

„Du kommst mit. Schließlich haben wir die ganze Bredouille nur dir zu verdanken", sagte Herr Schweitzer unwirsch und mit harter Stimme, bar jedweder Einfühlsamkeit. Bei allem Verständnis für Karin Schwarzbachs Kalamität, ging ihm das andauernde Geflenne doch sehr auf den Keks.

Maria ließ sich ein Taxi kommen. Nach zwanzig Minuten war sie mit Janina wieder zurück, und Simon Schweitzer, der seine Jacke erneut vergessen hatte, und Karin stiegen zu. Während der Fahrt redete Maria beschwichtigend auf Janina ein, die sich verkrampft an ihrer braunen Billighandtasche festhielt. Herr Schweitzer, der das polnische Hausmädchen zum ersten Mal sah, besänftigte sie durch seinen gütigen Blick. Karin saß vorne und starrte verloren durch das Seitenfenster, der Alkohol schien nicht mehr zu wirken, denn ihre Hände zitterten wieder.

Im Frühzecher waren noch etliche Plätze frei, hier würde das Gedränge erst mit den Schließzeiten anderer Lokale einsetzen.

Die beiden Polizisten waren zu Simon Schweitzers großer Erleichterung noch da, saßen am Tresen und unterhielten sich mit dem Wirt René. Er dirigierte die Damen an einen Tisch. Die fünf-zigjährige Janina Blaszczyk schaute sich schüchtern um, als dräue von diesem Sündenpfuhl in Gaststättenformat große Gefahr. René kam an den Tisch, um die Bestellung entgegenzunehmen, und Janina sackte noch mehr in sich zusammen, was bei des Wirtes Erscheinungsbild nur allzu verständlich war. Lange, blonde, strähnige Haare. Hemd, Hose und Stiefel in des Todes Schwarz, ein tellergroßer Löwenkopf als Gürtelschnalle und ein ungepflegter Bartwuchs zuzüglich monströser Oberarmtätowierungen ließen ihn wie einen durch Europa brandschatzenden Wikinger des frühen Mittelalters aussehen, der selbst vor dicklichen Haushaltshilfen aus dem Land des gekrönten weißen Adlers nicht halt machte.

Herr Schweitzer entschuldigte sich bei den Damen und ging zum Tresen. Freundschaftlich klopfte er Frederik Funkal und Odilo Sanchez auf den Rücken. Na, was gibt's, begrüßten sie Simon Schweitzer. Oh, eine ganze Menge, ließ er verlauten und erzählte ohne Einleitung die komplette Tragödie, in die man unschuldig hineingeschlittert war. Sporadisch drehten die beiden Polizisten ihre Köpfe zu dem Damentisch, um sich anhand von Karin und Janina davon zu überzeugen, daß Simon Schweitzer ihnen mit dieser abenteuerlich anmutenden Geschichte keinen Bären aufband. Aber Herr Schweitzer hatte in Sachsenhausens Kneipenkosmos nicht das Image eines Dummschwätzers, worauf er auch sehr bedacht und stolz war, und was ihm gerade sehr zupaß kam.

„Das sieht nicht gut aus", konstatierte Frederik Funkal, der Simon Schweitzer etwas näher stand und auch der Wortführer der beiden war.

„Ganz und gar nicht gut", pflichtete Odilo Sanchez bei.

„Und weil es so beschissen aussieht, bin ich hier. Ich dachte, ihr hättet vielleicht eine Idee, wie man da jetzt vorgehen könnte, schließlich seid ihr ja vom Fach." Andere Leute bei ihrer Ehre packen ist eine äußerst durchtriebene Vorgehensweise, auf die Herr Schweitzer sich sehr gut verstand.

„Tja, wenn wir mit dem Fall wenigstens ein bißchen was zu tun hätten, aber das BKA fährt mal wieder einen Alleingang. Die halten uns wie immer für zu blöd, unseren werten Abgeordneten wiederzufinden", erklärte Polizeimeister Funkal. Herr Schweitzer hielt die Formulierung für etwas verunglückt, schließlich war man ja bei der Polizei nicht den ganzen Tag damit beschäftigt, vermißte oder entlaufene Abgeordnete wiederzufinden oder einzufangen. An einem anderen Abend und in einem anderen Zusammenhang hätte er an dieser Stelle sicher etwas Lustiges zu sagen gehabt, aber heute schwieg er, zumal seine beiden Kneipenfreunde sichtbar angestrengt nachdachten. Da war es sicherlich auch nicht richtig darauf hinzuweisen, daß auch ohne BKA ordinäre Polizeimeister selten mit Ermittlungen dieser Größenordnung beauftragt werden. Er ließ ihnen ihren Stolz.

In der allgemeinen Denkpause warf er einen Blick auf Maria, die sich eingehend mit ihrer Bediensteten beschäftigte und die Simon Schweitzer auf gar keinen Fall enttäuschen wollte. René brachte gerade als vertrauensbildende Maßnahme unvergiftete Getränke zu der Damenrunde.

Es war Frederik Funkal, der nach etwa fünf Minuten sagte: „Ich kenn da jemanden vom BKA, der uns vielleicht weiterhelfen könnte."

Pause. Das wird nichts werden, dachte Herr Schweitzer unglücklich.

„Na ja, ich kann ihn ja mal anrufen." Frederik holte sein Handy hervor, und noch während er nach draußen ging, tippte er die Zahlenkombination ein.

Simon Schweitzer sah seine Felle bei Maria in einer Geschwindigkeit davonschwimmen, die sonst nur bei Hochwasser erreicht wurde. Er überlegte, daß, wenn die ganze akribisch geplante Inszenierung nun ein Schuß in den Ofen war, dann müßte Maria ihn ja, und das vollkommen zu Recht, für einen aufgeblasenen Aufschneider halten. Er hatte folglich bange Minuten zu überstehen, bis der Polizeimeister wieder hereinkam und erklärte, daß sein Kumpel in einer halben Stunde hier wäre und daß sie unwahrscheinliches Glück hätten, denn genau jener Kumpel Funkals war, außer Funkals Kumpel, noch Mitglied ebenjener Sonderkommission, die sich mit dem Schwarzbachfall beschäftigte. Uff, machte Herr Schweitzer.

Er schlug vor, sich behufs Wartens zu den Damen zu begeben. Der Vorschlag wurde von der Polizei angenommen, und er selbst konnte bei Maria ein bißchen auf die Pauke hauen, denn schließlich würden seine weitreichenden Beziehungen die Sache nun voranbringen. Janina, die erst abgewartet hatte, ob die Getränke bei den anderen Verhaltensstörungen bewirkten, nippte vorsichtig an ihrem Glas Wasser und glaubte, den Geschmack von Strychnin auf der Zunge zu spüren, gleichwohl ihr der Strychningeschmack völlig fremd war.

Es war ein junger Schnösel, der dann zu Tür hereinkam und sich als Bundeskriminalamtsmitarbeiter vorstellte. Erneut mußte Simon Schweitzer die Zusammenhänge erklären.

„Und Sie sind also die gesuchte Janina Blaszczyk?" fragte der Mann vom BKA Janina, nachdem Herr Schweitzer geendet hatte.

Sie nickte.

„Gut. Dann möchte ich Frau Blaszczyk, Frau Schwarzbach und ..."

„Maria von der Heide."

„... Frau von der Heide bitten, mit mir zu kommen. Es müssen Aussagen aufgenommen werden, und ich denke, in zwei, drei Stunden sind sie alle wieder zu Hause."

Nein. Das konnte nicht sein, so fern bürokratischer Tradition arbeitet keine deutsche Behörde, da muß ein Mißverständnis vorliegen, überlegte Herr Schweitzer.

Die drei Damen und der Bundeskriminalamtler standen auf. „Na, dann wollen wir mal", sagte Simon Schweitzer.

Und wurde prompt zurechtgewiesen: „Nein, Sie brauchen wir dabei nicht."

Das war nicht fair. Wo wären sie denn ohne den Herrn Schweitzer? Würden immer noch einem polnischen Hausmädchen hinterherjagen, welches tatsächlich friedlich und ahnungslos im Bett schlummert, oder, noch wahrscheinlicher, würden wieder immense Steuergelder für eine filmreife Festnahme derselbigen zum Fenster hinauswerfen. Und jetzt grenzte man ihn einfach aus, trennte ihn brutal von seiner Herzensdame Maria von der Heide. Was für ein Name. Seufzend blickte er der knallengen Jeans Marias hinterher, die sich noch einmal umdrehte und ihm vorschlug, sich morgen doch wieder im Weinfaß zu treffen. Simon Schweitzer fragte sich, ob man ein Rendezvous mit Ortsangabe, aber ohne Uhrzeit als Rendezvous bezeichnen konnte, beleuchtete das Problem von allen Seiten und kam zu dem Schluß, daß man das durchaus könne.

„Deine neue Freundin?“ fragte Odilo Sanchez, als sie alleine waren.

„Wer?“

„Die mit der knallengen Jeans.“

Das mißfiel Herrn Schweitzer. Die knallengen Jeans hatten ausschließlich ihm aufzufallen. Maria hatte sie ja, und da war er sich ganz sicher, extra wegen ihm angezogen und auf keinen Fall wegen Odilo, den sie beim Ankleiden ja noch gar nicht gekannt hatte. „Wie kommst du drauf?“

„Na, der stand doch die Kopulationsfreude ins Gesicht geschrieben.“

Diese Ausdrucksweise konnte und wollte Simon Schweitzer nicht gutheißen. Da wurde ja jedes Taktgefühl außer acht gelassen, er hätte sich dem Thema sensibler genähert. Er sagte: „Ach, ist mir gar nicht aufgefallen.“

Jetzt meldete sich auch Polizeimeister Funkal zu Wort: „Komm Simon, mit der hast du doch was. Kann ich dir nicht verdenken, ist ja schließlich ein ganz heißer Ofen, die Frau von der Heide.“

„Na ja, man kann's ja mal probieren. Bin doch kein Kostverächter.“ Wie ein Chamäleon beherrschte Herr Schweitzer eine jede Situation. Der Rest des Abends ging getränketechnisch auf ihn, man mußte sich ja zumindest mit einem Teil der Staatsmacht gutstellen.

Daheim, Laura schlief schon, setzte Simon Schweitzer noch einen Tee auf und baute sich ein Pfeifchen, bestehend aus den Zutaten Dipayal Charras und seiner Neuerwerbung aus dem Tal von Baalbek. Es ergab eine hervorragende Dröhnung. Er blickte durch die Regentropfen an der Fensterscheibe auf die mosaikförmig erleuchteten Bürotürme Frankfurts. Unregelmäßig aufblitzende Bremsen der wenigen Autos, die noch unterwegs waren, durchzogen die Straßen, und Scheinwerfer spiegelten sich im nassen Asphalt und auf den Straßenbahnschienen der Schweizer Straße, die Sachsenhausen auf der Nordsüdachse spaltete. Herr Schweitzer legte die Stirn an die Scheibe und ließ die angenehme Kühle wirken. Er dachte an Karin und die ganze Misere, in der sie sich befand. Wäre sie damals bei Guntram Hollerbusch geblieben, anstatt auf die Scheinwelt Klaus-Dieters hereinzufallen, ihr Leben wäre wohl angenehmer verlaufen. Der Pfarrer wäre vielleicht kein Pfarrer geworden, oder vielleicht war die Ehe in der Gemeinde des Barmherzigen Heilands von Nazareth und Umgebung ja erlaubt, er wußte es nicht. Und Maria brauchte sich nicht um Karin zu kümmern. Und wie sollte das überhaupt weitergehen, wenn sie Schwulstlippe, so nannte er Klaus-Dieter bösartig, erst gefunden hatten? Tot oder lebendig, die Probleme fingen erst an, dachte Simon Schweitzer vorausschauend. Trotz des Pfeifchens schlief er schlecht.

Herr Schweitzer träumte von einem vertrauten Klingelzeichen und daß es durch ein Abheben des Hörers beendet wurde. Aber selbst der verrückteste Traum entbehrt nicht einer gewissen Logik, die hier aber insofern nicht gegeben war, als daß in seinem Traum niemand außer ihm selbst den Hörer hätte abnehmen können. Und er hatte definitiv kein wie auch immer geartetes Telefonteil in der Hand. Darob sehr beunruhigt, tauchte er an die Oberfläche.

Simon, für dich, vernahm er gedämpft. Folglich mußte doch irgendwo jemand sein, der ans Telefon gegangen war. Grund genug, eine andere Bewußtseinsebene aufzusuchen und da fiel ihm nur der Wachzustand ein. Also gut. Er öffnete vorsichtig das linke Auge. Da er auf dem Rücken lag, war das erste, was er sah, die gewohnte Muehlenbeckia in ihrer Blumenampel. Zart klopfte es an der Tür. Simon? Ah, Lauras Stimme, damit konnte er was anfangen. Er antwortete mit einem herzhaften Ja. Die Tür ging auf, und seine Untermieterin hielt den schnurlosen Hörer in der Hand. Für dich, eine Frau, flüsterte sie und sah sehr ungesund dabei aus. Wieviel Uhr war es überhaupt? Neun Uhr dreißig, und soweit Herr Schweitzer auf die Schnelle zu eruieren vermochte, war heute Mittwoch, und da hatte Laura theoretisch gefälligst im Architekturbüro zu sein. Oder auf einer Repräsentation oder sonstwo, aber nicht hier. Aber eins nach dem anderen. Er nahm auf dem Bett sitzend den Hörer entgegen und Laura schlich wieder hinaus.

Es war Maria, die enervierend wach und leutselig war. Simon Schweitzer war zwar nicht unbedingt ein Morgenmuffel, obschon man das vielleicht von ihm denken konnte, aber so ein paar Minuten Einarbeitungsphase in den neuen Tag hätte er sich doch gewünscht. Maria erzählte ihm ausführlich von der Nacht mit Karin und Janina auf dem Polizeipräsidium und daß alles nur halb so schlimm war, und daß sie ihm unendlich dankbar sei, wie er die Dinge mit seinen Beziehungen so arrangiert hatte.

Herr Schweitzer forcierte ihren Redefluß mit geschickt eingeworfenen Achs, Ahas und Sosos. Er mußte dringend pinkeln, und als er glaubte, eine Unterbrechung sei keine Unhöflichkeit, erklärte er ihr dies. Auch könne man sich vielleicht am frühen Nachmittag im Café Windhuk treffen, um das Ganze mal in Ruhe durchzugehen. Maria hielt dies für eine tolle Idee. Man verabschiedete sich voneinander.

An den sich gen Nordosten biegenden Bäume an den Zuggleisen vermochte Herr Schweitzer die ungefähre Windstärke einzuschätzen. Die Welt in der Gegend um Frankfurt präsentierte sich in einem ungemütlichen Grauton, wobei partielles Delftblau das Durchsetzungsvermögen von Helios, dem griechischen Sonnengott, erahnen ließ. Nach der Morgentoilette widmete er sich der Ungereimtheit in der Anwesenheit Laura Roths. Er steckte seinen Kopf durch die Tür und fragte, ob alles in Ordnung sei.

„Nein."

Seine Mitbewohnerin war zwar hin und wieder jenseitig der Normalität, aber im Jammertal würde er sie nicht unbedingt ansiedeln. „Was fehlt dir denn?"

„Alles."

Das war viel. Ein gebrochenes Bein zu schienen, traute sich Simon Schweitzer zu. Eine Entbindung lag im Bereich des Machbaren und eine leichte Herzoperation mochte mit ein klein wenig fachärztlichem Beistand und Glück auch gelingen, aber bei Allem auf einmal war er überfordert und gestand sich das auch ein. „Das ist aber viel."

Ein schwaches Lächeln zeichnete sich auf Lauras blasses Gesicht. Auf ihrem Schlafanzug spielten niedliche Elefantenkinder mit bunten Bällen, Springseilen und Teddybären.

Herr Schweitzer setzte sich auf den Bettrand und legte eine Hand auf ihre Stirn. „Aber Fieber hast du keins."

„Doch."

Okay, bitteschön, Fieber auch noch. „Dann ruf ich am besten mal den Onkel Doktor an." Er stand auf.

„Quatsch."

„Wie? Du glaubst doch nicht im Ernst, daß ich dich hier sterben lasse. Unterlassene Hilfeleistung kann mich ein paar Jahre Gefängnis kosten."

„Ich hab doch aber nichts", sagte Laura kraftlos.

„Dafür, daß du nichts hast, siehst du aber sehr kränklich aus."

„Es ist nur wegen Samstag."
„Da hast du doch Geburtstag, das ist doch schön", schlußfolgerte Simon Schweitzer und ihm ging ein Licht auf. Laura wurde dreißig.
„Das ist überhaupt nicht schön."
„Du glaubst, du wirst alt. Trau keinem über dreißig und so ein Mist, stimmt's?"
Laura zog eine Schnute.
Herr Schweitzer nahm ihre Hand und tätschelte sie. „Hast du schon deinen Chef angerufen?"
Sie nickte.
„Dann bleib mal besser die nächsten Tage zu Hause."
Sie nickte sehr heftig.
„Magst du einen Kamillentee? Hilft gegen Fieber und Überalterung."
„Ja. Du bist sehr lieb."
Das war sowieso klar. Simon Schweitzer ging in die Küche. Dann zog er sich an und holte die Frankfurter Rundschau aus dem Briefkasten. Nachdem er seine Mitbewohnerin mit Tee und Frühstück versorgt hatte, machte er es sich am Küchentisch gemütlich und schlug die Zeitung auf. Sehr zu seinem Ärger war wieder ein Foto von Schwulstlippe Schwarzbach abgebildet. Der dazugehörige Artikel berichtete von dem mit dem Geländewagen an der polnischen Grenze festgenommenen Polen, der überhaupt kein Pole war, sondern ein Ukrainer mit gefälschtem polnischen Paß, der schon vielfach des Autodiebstahls überführt und auch verurteilt worden war. Nach seiner Aussage, die nach dem momentanen Ermittlungsstand als wahr betrachtet werden mußte, hatte der Ukrainer das Auto in den frühen Morgenstunden des vergangenen Samstags von einer stillgelegten Tankstelle in der Moselstraße des anrüchigen Frankfurter Bahnhofsviertels entwendet. Der Wagen wurde im Moment kriminaltechnisch untersucht, und dringlich wurden Zeugen gesucht, die irgend etwas beobachtet hatten, was mit dem Mitsubishi Pajero in Verbindung gebracht werden konnte. Hinweise würden auf Wunsch vertraulich behandelt, und von jeder Polizeidienststelle entgegengenommen werden. Man ging offensichtlich noch immer von einer Entführung aus, obzwar es vollkommen unüblich war, daß Kidnapper so lange auf ihre Forderungen warten ließen. Was blieb den Bullen auch anderes übrig, überlegte Herr Schweitzer und widmete sich

dem Feuilleton. Vielleicht würde ja ein Theaterbesuch mit Maria was bringen.

Apropos Maria. Simon Schweitzer dachte an deren knallenge Jeans und beschloß, sich ebenfalls ein derart jugendliches Kleidungsstück zuzulegen, was aber einen Einkaufsbummel in Hibbdebach unumgänglich machte, waren doch die Sachsenhäuser Bekleidungsgeschäfte mehr auf Greise und Scheintote zugeschnitten.

Der Kleidungs- und insbesondere der Hosenkauf waren für Herrn Schweitzer ein Greuel der gehobenen Art. Immerfort brachte er Schuh-, Hemd-, Slip- und Hosengröße durcheinander. Selbst raffinierteste Eselsbrücken wie Alter plus die sechste Primzahl minus Quersumme seines Geburtstages ergibt Schuhgröße halfen nicht gegen das Vergessen an sich. Aber wie das bei ungeliebten Tätigkeiten nun mal so ist, entweder man erledigte sie stande pede oder sie blieben für Wochen, Monate oder gar Jahre auf der Zu-erledigen-Liste. Er zog sich also an und ging los. Der Wind hatte nachgelassen und die Sonne ihre Arbeit auf Helios' Drängen wieder aufgenommen.

Simon Schweitzer ging über den Eisernen Steg, die romantischste Art von Dribbdebach nach Hibbdebach zu wechseln, und war froh, seinem hier wohnenden Schwager Hagedorn nicht über den Weg gelaufen zu sein. Er konnte bei einem solch schwierigen Unterfangen keinerlei Ablenkung gebrauchen.

An der Konstabler Wache betrat er ein großes, von Jungvolk frequentiertes Geschäft. Gelbe, orangene und hellgrüne Shirts leuchteten in den Regalen. Nun hatten also die Farben mexikanischer Schrankmalerei Einzug in die Mode gehalten, stellte Herr Schweitzer fest. Jeans gab es auf der ersten Etage. Dort war es auch nicht so voll, und er wurde auch unverzüglich in Empfang genommen, nachdem er einen unsicheren Blick durch das Angebot hatte schweifen lassen.

„Kann ich Ihnen helfen?“

„Ich hätte gerne eine Jeans.“ Genausogut hätte er sagen können, daß er gerne etwas zu essen hätte. Das junge Mädchen mit der ins Gesicht gekämmten oder gefönten Haarpracht, die an das Liverpool Anfang der Siebziger erinnerte, ging einen Schritt zurück und versuchte, einige zur Anprobe unerläßlichen Nummern zu schätzen, die sich Simon Schweitzer nie merken konnte. Er erwartete nun eine in Rekordzeit heruntergeleierte Zwölffragenliste, die dann zeitraubend Punkt für Punkt geklärt werden mußte und von der er nur Bahnhof verstehen würde.

„Wenn Sie mir bitte folgen möchten“, pulverisierte die Verkäuferin Herrn Schweitzers Befürchtungen.

Derart willenlos gemacht, folgte er ihr gottergeben und bekam einen Stoß von vier Jeans zusammengestellt und überreicht, mit dem er sich in die Garderobe verzog. Die mit dem Silberschimmer sortierte er sofort aus, aber die anderen drei paßten trotz seines Wohlstandsbäuchleins. Allerdings hatten die Hosen sämtlich einen weiten Schlag, wie er ihn schon im Troubadour hatte beobachten können. Das kam natürlich nicht in Frage, lächerlich würde er sich damit machen. Außerdem besaß er keine passenden Schuhe. Zaghaft fragte er nach Röhrenjeans, wie er vor zwanzig Jahren mal eine hatte.

„Oh sorry, nein, führen wir leider nicht mehr.“

Das hatte er sich gedacht. Zwanzig Jahre waren halt kein Pappenstiel, da konnten Kulturnationen ihre Kultur verlieren und Hosenmoden sich grundlegend ändern.

Und dann trat das ein, was älteren Semestern unter dem Begriff Schwindelerregender Übermut bekannt war, und der sich darin äußerte, daß man erst zauderte, aber dann in einem Anfall jugendlichen Leichtsinns, ja fast schon Wahnsinns, genau das tat, was man seinem, mit den Jahren doch sehr zögerlich gewordenen und verängstigten Charakter nimmermehr zugetraut hatte. Dasselbe widerfuhr Herrn Schweitzer: „Dann nehm ich die da.“ Er zog die dunkelblaue aus dem Stoß heraus.

„Eine gute Wahl, steht Ihnen bestimmt sehr gut.“

Er hätte sich jetzt fragen können, und das wäre durchaus rechtens gewesen, ob die junge Göre ihn vielleicht auf den Arm nahm. Doch diese Frage ließ Simon Schweitzer nicht zu, denn noch war seine Mission impossible nicht beendet. Mit der Einkaufstüte in der Hand stürmte er aus dem Jeansladen heraus und in den Schuhladen hinein. In Nullkommanix hatte er ein paar schwarze, vorne spitz zulaufende Lederschuhe erstanden. Der letzte Schrei, wie ihm der junge Schnösel von Verkäufer versicherte. Herr Schweitzer hatte ein Vermögen ausgegeben.

Und weil er schon mal dabei war, ging er auf der Berliner Straße noch in ein Designkleinmöbelgeschäft und kaufte einen Schaukelstuhl aus Peddigrohr, der eine annähernde Bequemlichkeit wie Lauras regenbogenfarbene Hängematte versprach und ebenfalls nicht billig war. Liefertermin sollte Freitag sein.

Laura schien zu schlafen, jedenfalls war ihre Tür geschlossen. Simon Schweitzer ging sofort in sein Zimmer und entledigte sich seiner alten Klamotten, in denen der Mief von Jahrhunderten zu stecken schien.

Kurz darauf blickte ihm ein runderneuerter Simon Schweitzer aus dem Schrankspiegel entgegen. Da sein außergewöhnlichstes Kleidungsstück, das blütenweiße Hemd mit bauschigen Ärmeln, im Wäscheberg vor sich hinmüffelte, ergänzte er sein gewagtes Outfit mit einem hellgrauen Hemd, welches Bestandteil seiner Straßenbahneruniform war. Dann ging er lässig mit seinem Spiegelbild auf und ab. Es war keine Spontanfreundschaft, die da geschlossen wurde, Herr Schweitzer mußte sich erst einmal an sich gewöhnen. Nach zehn Minuten war ihm sein Gegenüber einigermaßen vertraut, gleichsam er ihm noch mißtraute, und dabei ließ er es fürs erste bewenden. Wichtig war, wie Maria diesem Fassadenwandel gegenüberstand. Die Schuhe drückten ein wenig am kleinen Zeh, rechts wie links.

Simon Schweitzer ging in die Küche Tee trinken und den Einkaufszettel für später vervollständigen. Dann blieb noch ein wenig Zeit, sich aufs Bett zu fläzen und Hootie and the Blowfish zu hören, die er von seiner Mitbewohnerin letztes Jahr zu Weihnachten geschenkt bekommen hatte. Er war betreffs des Musikgeschmacks durchaus variabel.

Im Café Windhuk, welches unweit seines Dealers Dönerbude gelegen war, saß Maria schon am Tisch und erwartete ihn. Sie begrüßte Simon Schweitzer mit zwei russischen Bruderküssen auf die Wange und verlor über sein Erscheinungsbild kein Wort, was ihn mehr kränkte, als er sich eingestand. Andererseits könnte man eine löbliche Bemerkung diesbezüglich auch dahingehend interpretieren, daß er sonst nicht so gut aussah in seinen altmodischen Kleidern. Wie dem auch sei, inzwischen schmerzten die Schuhe gar fürchterlich.

Das Café war wie immer gut besucht, und der Bremer Kaufmann Adolf Lüderitz in Öl blickte auf die Gästeschaft. Die Führung der Restauration oblag Großmutter, Mutter und Enkelin einer alteingesessenen Sachsenhäuser Gastronomendynastie, die sehr stolz auf ihr generationenübergreifendes Publikum waren. Maria von der Heide hatte partnerschaftlich dasselbe wie Herr

Schweitzer bestellt. Dasselbe war in diesem Fall eine Käsekirschtorte und ein Cappuccino.

Direkt über Maria hingen einige Maskenschnitzereien vom Bantustamm der Ovambo an der Wand, die Herrn Schweitzer wegen ihrer sparsam ziselierten Gesichtszüge besonders gut gefielen.

Als man zu Ende gespeist hatte, eröffnete Maria das Gespräch mit einem kurzen Bericht über Karin Schwarzbachs sehr angeschlagener Gesundheit, die sich ihr gestern nacht erst so richtig offenbart hatte, als man gemeinsam auf dem Polizeipräsidium war und die Frau des vermißten Abgeordneten die Fragen des netten Polizisten recht zusammenhangslos beantwortet hatte. Immer wieder hatte sie, Maria, korrigierend eingreifen müssen. „Das kann so nicht weitergehen. Ich hab Angst, daß sie sich was antut."

„Du meinst Selbstmord?" fragte Simon Schweitzer.

Die Frage ließ Maria unbeantwortet im Raum stehen, statt dessen sagte sie: „Sie erzählt auch immer öfter von früher. Da ist die Rede von einem Guntram, den sie besser hätte heiraten sollen. Kennst du den?"

„Ja. Guntram Hollerbusch, der ist Pfarrer hier in Sachsenhausen."

„Und daß sie zwei Morde hätte verhindern können, wenn sie nur aufgepaßt hätte. Das sind natürlich Hirngespinste, aber..."

„Die zwei Bullen", platzte es aus Simon Schweitzer heraus.

„Bitte?"

„Äh, die zwei Polizisten, die damals an der Startbahn erschossen wurden."

Frau von der Heide hatte jegliche Gesichtsfarbe verloren. „Dann stimmt das also doch."

„Ja, aber damit hat Karin doch nichts zu tun. Der oder die Mörder laufen bis heute frei herum." Ihm war schwindelig. Er hatte Verlangen nach einem Schnaps. „Was hat Karin noch alles erzählt?"

„Nichts weiter. Dafür wiederholt sie alles ständig. Glaubst du, Karin weiß, wer die Mörder sind?"

„Oder der Mörder. Bis vor zehn Minuten hätte ich meine Hand dafür ins Feuer gelegt, daß sie davon keine Ahnung hat. Wir haben doch alles immer zusammen gemacht. Klaus-Dieter, Guntram, Karin, ich und ...", es ärgerte ihn, daß ihm der Name schon wieder nicht sofort einfallen wollte, „und Daniel Fürchtegott."

„Was?"

„Der heißt tatsächlich so. Daniel Fürchtegott Meister. Ist seit Ewigkeiten verschollen. Sag mal, hat Karin gestern auf dem Polizeipräsidium auch von den Morden erzählt?"

„Nein. Eigentlich nur dann, wenn sie vollkommen betrunken ist oder ein paar von diesen Tranquilizern genommen hat, die ihr der Arzt verschrieben hat."

„Entschuldige Maria, aber ich bin richtig durcheinander."

„Sollten wir nicht besser zur Polizei gehen?"

„Ich weiß nicht", sagte Simon Schweitzer leise und wußte es wirklich nicht.

„Vielleicht hilft ein Spaziergang. Die Sonne scheint."

„Ja, Maria. Du bist klug."

Maria fragte sich, wie er jetzt auf so was kam. Sie zahlte für beide. Tapfer stand Herr Schweitzer auf. Er linderte den Schmerz dadurch ein wenig, in dem er im Schuh die Füße so gut es eben ging nach hinten zur Ferse schob.

Automatisch schlug Simon Schweitzer den Weg zum Main ein, ohne daß sie sich auf ein Ziel geeinigt hätten. Maria ging wortlos neben ihm her. Kurz vor dem Eisernen Steg, in Höhe des schwimmenden Freiluftrestaurants mit angegliedertem Tretbootverleih konnte Simon Schweitzer nicht mehr. „Laß uns auf die Bank dort setzen." Dann zog er erleichtert seine Schuhe aus.

„Chic", bemerkte Maria von der Heide.

„Nicht wahr." Er war unendlich dankbar für dieses, seine großen Zweifel beseitigendes Urteil. „Hab ich mir heute gekauft. Drücken vorne nur ein bißchen."

„Ach, du Ärmster."

„Ach, geht schon."

Ein Ausflugsdampfer betätigte sein Signalhorn. Tauben suchten auf dem Gehweg Eßbares. Die Spitze des Frankfurter Doms wurde renoviert und war mit Gerüst und Planen bedeckt. Kein schönes Motiv für die vielen Touristen, die an Maria und Simon Schweitzer vorbeischlenderten. Herr Schweitzer hatte die Beobachtung gemacht, daß Asiaten immer auch ihre Reisegenossen mit auf Zelluloid bannen mußten oder sich von diesen mit ihren eigenen Apparaten ablichten ließen. Nur so ließ sich der lückenlose Beweis erbringen, daß man auch tatsächlich am River Main vor der Skyline zugegen war und für die derweil in der Heimat angefallenen Verbrechen ein stichhaltiges Alibi vorweisen konnte.

Nachdem man so eine Zeitlang seinen Gedanken nachgegangen war, sagte Maria unvermittelt: „Ich glaube, wir sollten damit warten, bis Klaus-Dieter wieder aufgetaucht ist."

Simon Schweitzer brauchte eine Weile, bis er verstand, daß sie den im Windhuk unterbrochenen Gesprächsfaden wieder aufgenommen hatte. „Du glaubst, daß er noch am Leben ist?"

„Nein. Ich wollte es nur nicht so brutal ausdrücken."

„Vielleicht sollten wir Karin einfach noch mal fragen, wie sie das meinte, als sie von den zwei Morden sprach."

„Ja, aber da müßten wir auf einen lichten Moment warten. Und das kann bei ihrer jetzigen Verfassung dauern."

Schweigen. Simon Schweitzer zog die Schnürsenkel aus den Ösen und steckte sie ein. Ein Schlauchboot der Wasserschutzpolizei drehte konzentrische Kreise bis jemand den Motor abwürgte und es flußabwärts trieb.

Herr Schweitzer, von Geburt an sensibel, kam zu der Erkenntnis, daß der Moment für Liebesgeflüster denkbar ungeeignet war. „Kommst du heute ins Weinfaß?"

„Ich wollte eigentlich noch ein bißchen arbeiten."

Ach ja, das hatte er ganz vergessen zu fragen. Was arbeitet Maria eigentlich? Bei dem ganzen Gerede der letzten Tage zwischen ihnen war dieser Aspekt des Lebens völlig verdrängt worden. Schließlich konnte ja nicht jeder Privatier von Gottes Gnaden sein wie Simon Schweitzer. Er empfand es als unschicklich, ausgerechnet jetzt danach zu fragen. Vielleicht konnte man es ja so drehen, daß er längst wußte, von Bertha beispielsweise, womit Maria ihren Lebensunterhalt bestritt. Mal sehen.

„Vielleicht dann später noch", gab er sich kompromißbereit.

Maria stand auf und zupfte und zog die straff gespannte Jeans erdwärts. „Ich muß jetzt gehen."

„Ja, ich auch. Einkaufen und so."

Gemeinsam schweigend gingen sie die Treppe hinauf. Es ging auch ohne Schnürsenkel. Beim Museum für Kunsthandwerk kürzten sie durch einen kleinen Park ab, und am Schweizer Platz verabschiedeten sie sich, weil Simon Schweitzer in einer sündhaft teuren Metzgerei noch einkaufen wollte. Eine Grüne Soße, die vor Kräutern nur so grünte, Wurst und Käse standen auf dem Einkaufszettel. Eier und Kartoffeln hatte es noch zu Hause.

Laura schien auf dem Weg der Besserung. Eine gewisse Frau Sanjukta G. gab ihre auf mikrotonale Feinheiten ausgerichtete Sangeskunst im Khyal-Stil zum Besten, was für ungeübte und ignorante europäische Ohren wie das Massaker an einer eben noch quietschvergnügten Schweinefamilie klang. Die Tür stand offen und Herr Schweitzer lugte hinein. Vom Bett aus winkte Laura, am Sprechen hinderte sie ein Fieberthermometer. Er winkte zurück und ging in die Küche die Einkäufe verstauen.

Bis zum Abendessen war noch reichlich Zeit, den heute morgen durch Marias Anruf abgebrochenen Schlaf nachzuholen. Verdient hatte er es allemal.

Das Leben besteht aus Wiederholungen. Erneut war es Maria, die ihn weckte. Noch vom Schlaf benommen war er zum Telefon geschlichen, wo sie ihm eröffnete, daß ein Wiedersehen heute abend im Weinfaß leider nicht stattfinden könne, weil Janina, die sie zum Putzen und Sichnützlichmachen zu Karin geschickt hatte, ganz aufgeregt angerufen habe und, soweit sie, Maria, das am Telefon nun verstanden habe, gesagt habe, daß Karin aufgrund einer vollends geleerten Flasche Grappa zusammengebrochen sei. Das müsse er verstehen, daß sie da unmöglich, wo doch ein Mensch ihrer Hilfe bedürfe, ins Weinfaß kommen könne. Selbstverständlich verstand das Simon Schweitzer, gleichsam seiner Ansicht nach Karin Schwarzbach ein ganz schönes Gedöns um die Tatsache machte, daß ihr Mann vermißt wurde und möglicherweise einem Kapitalverbrechen zum Opfer gefallen war. Aber Verständnis war etwas, und das wußte Herr Schweitzer nun ganz genau, worauf Frauen ein besonderes Augenmerk legten, gerade was ihre Paarungspartner anging. Man könne ein Wiedersehen ja für morgen ins Auge fassen, vereinbarte man abschließend.

Danach ging Simon Schweitzer zu Laura und fragte, ob sie einen Tee wolle und für wann er das Abendessen planen solle. Ja, und außerdem habe sie schon jetzt einen großen Hunger. Er ging also in die Küche und waltete seines Amtes.

Die Grüne Soße vom Hochpreismetzger hatte wie immer sehr gut geschmeckt. Herr Schweitzer räumte das Tablett von Lauras Bett und kochte noch einen Orangentee. Dann setzte er sich zu ihr ins Zimmer. Der Plüschelefant Bimbo lag auf dem Bettvorleger. Laura bat ihn, das Fenster der milden Abendbrise wegen einen Spaltbreit zu öffnen. In einem Hochhaus spiegelte sich die romantische Abendsonne in der Glasfassade und blendete Simon Schweitzer.

„Sag mal, was machst du eigentlich an deinem Geburtstag?" fragte er, und ihm fiel ein, daß er sich bis dato noch keine Gedanken über ein Geschenk gemacht hatte.

Laura grimassierte und rollte die Augen nach oben. Simon Schweitzer verstand. Bis zu ihrem Geburtstag war noch so viel Zeit, daß man sich nicht sicher sein konnte, ob sie bis dahin noch lebte oder Mutter Erde da noch existieren würde. Exakter berechnet waren es bis zu diesem erschütternden Ereignis aber nur noch drei Tage.

Herr Schweitzer sah das genauso. „Aber es sind doch nur noch drei Tage."

Aus blutleeren und leblosen Augen sah sie ihn an. Laura schien nachzudenken, Simon Schweitzer wagte es nicht, zu unterbrechen. Nach einer Ewigkeit sagte sie zu seiner großen Verblüffung: „Stimmt." Nie würde Simon Schweitzer die Frauen verstehen, obgleich er dann und wann glaubte, nahe dran zu sein.

„Was wünschst du dir denn?"

„Ich weiß nicht." Längere Pause. „Vielleicht eine Menora." Es klang unsicher.

Simon Schweitzer wußte zwar, daß seine Untermieterin jüdischer Abstammung war, dennoch überraschte ihn die Antwort. Vor langer Zeit hatte sie ihm einmal gesagt, daß sie mit dem Glauben nichts am Hut hätte. Auch die Sprache konnte sie bis auf ein paar Brocken nicht. Ihre Eltern waren vor sechs Jahren nach Israel ausgewandert, dort ihren Lebensabend zu verbringen. Vielleicht besann sich Laura ja jetzt, da der Tod ihr ins fast dreißigjährige Antlitz schaute, ihrer Wurzeln. „Eine Menora?"

„Ja. Warum nicht?"

„Ja, warum nicht. Ich schau mal, was sich machen läßt. Und feierst du auch?"

Laura zuckte die Schultern. „Ich weiß nicht, ich bin doch krank."

„Aber doch nicht bis Samstag. Vielleicht hast du nur das Burnoutsyndrom." Das Wort hatte er neulich erstmalig gehört, und es gefiel ihm ausnehmend gut. Damit ließ sich trefflich Bildung andeuten.

„Du hast recht. Völlig ausgebrannt bin ich."

Simon Schweitzer sah sich bestätigt, daß er das Wort auch

richtig verstanden hatte. „Na siehst du. Das ist morgen wieder weg.“

„Vielleicht lade ich ein paar Leute ein.“

„Ja, tu das. So ein Geburtstag ohne Freunde kann ganz schön trostlos sein. Wenn du magst, steuere ich auch ein paar Partysalate bei.“

„Oh, das wäre schön. Du bist ein echter Schatz. Ich ruf morgen gleich ein paar Leute an.“

Das hatte er prima gemacht, lobte sich Herr Schweitzer gebührend. Lauras Weltschmerz hatte sich verflüchtigt.

„Aber morgen bleib ich trotzdem noch zu Hause. Rekonvaleszenz und so.“

„Recht hast du.“

Später an diesem Abend rauchten beide noch eine Bong zusammen, woraufhin Laura sofort einschlief. Noch heute wird Marihuana und Hasch in nicht wenigen Gebieten der Erde zu Heilzwecken verschrieben und verwendet.

Simon Schweitzer, der das erste Mal seit der Gründung Roms wieder einen kompletten Abend in den eigenen vier Wänden verbrachte, las noch seine Dichtung und Wahrheit zu Ende und ging dann auch schlafen. Vor Mitternacht. Auch sehr ungewöhnlich.

Nichts deutete darauf hin, daß es keine Nacht wie jede andere werden sollte.

Keine Fledermäuse flogen lautlos durch die Häuserschluchten. Nirgendwo war Wolfsgeheul zu hören. Die fette Mondsichel bildete nicht den Hintergrund für eine dicke, schwarze Katze, die auf irgendeinem Schornstein saß. Frankfurt lag friedlich in der rhein-mainschen Tiefebene, wenn man mal davon absah, daß in Bergen-Enkheim gerade ein frustrierter Langzeitarbeitsloser seine Frau halbtot prügelte und im Westend ein pakistanischer Kaufmann Opfer eines brutalen Junkiepärchens wurde, welches dringend eines neuen Schusses Heroin bedurfte und somit strafmildernd handelte. Die Beamten des Sachsenhäuser Polizeireviers trauten der Ruhe nicht. Zu Recht.

Etwa einen Kilometer von ihnen entfernt und drei Stunden nachdem Simon Schweitzer eingeschlafen war, kletterten drei Gestalten über ein Gartentor unweit des Wander- und Forstvereins e.V.. Sie hatten ihre triftigen Gründe. Einer von ihnen zückte ein Messer und durchtrennte die Wäscheschnur, mit der das Bettlaken an den Ästen eines Apfelbaumes befestigt war. Der Anführer hielt kurz inne, weil sich zwei Scheinwerfer vom Parkplatz des Goetheturms her näherten, wo die ortsansässige Jugend traditionell sexuelle Erfahrungen aufbesserte. Als das Geräusch des sich entfernenden Automobils leiser wurde, holte auch er ein Butterflymesser aus der Tasche seiner schwarzen Lederjacke. Die Klinge blinkte silbrig im Mondlicht auf. Aufmunternd nickte er seinem Kumpel zu, der mit schlotternden Knien neben ihm stand. Ein Geräusch ließ beide zusammenzucken. Doch nichts war zu hören außer dem fernen Dröhnen einer sich über Neu-Isenburg und im Anflug auf den Flughafen befindlichen Frachtmaschine vom Typ Boeing. Vorsichtig, als befänden sie sich auf einer dünnen Eisschicht, die jederzeit brechen konnte, bewegten sie sich auf den Fahnenmast zu. Die Strohpuppe hing einige Meter über ihnen und bewegte sich nicht. Es war windstill. Mach schon, drängte derjenige, dessen Knie sich nicht unter Kontrolle bringen ließen. Das Seil war straff gespannt. Zu straff, würde er später aussagen, aber im Moment war es noch unwichtig. Mit einer blitzschnellen Bewegung, der ein wenig Imponiergehabe innewohnte, durchtrennte er das Seil. Als die Puppe auf dem Boden aufschlug, gab es ein Geräusch als breche morsches Holz, allerdings lag daselbst keines, weder Astwerk noch trockenes Gestrüpp. Nun kam auch der dritte im Bunde näher, um die Puppe zu begutachten. Das Laken, auf dem die Protestparolen standen, hielt er zusammengefaltet in der Hand. Die Schirmmütze mit dem Namen des momentanen hessischen Ministerpräsidenten lag daneben. Bürger wehrt Euch, keine neue Startbahn, stand auf dem Schild, welches ursprünglich um den Hals der Puppe hing, und nun quer über dem Genitalienbereich lag. Die Beine waren unwirklich ineinander verkeilt. Der Anführer gab der Puppe einen Tritt in die Seite. Fast gleichzeitig nahmen sie den penetranten Geruch nach Fäulnis und Kot wahr, den sie ihren Lebtag nicht vergessen sollten. Die kleine Stabtaschenlampe des Anführers beleuchtete den nach hinten abgeknickten Kopf der Strohpuppe. In Höhe des Halses klaffte ein Loch, aus dem aber kein Stroh quoll, wie es sich für eine ordentliche Strohpuppe gehörte. Mit weit aufgerissenen Augen stieß er den Kopf noch weiter nach hinten. Ein großer Stoffetzen löste sich von der linken Gesichtshälfte und legte nicht mehr ganz frisches Fleisch frei.

Ein spitzer, markerschütternder Schrei durchdrang die Nacht.

Ein paar kleine Wolken hatten sich vor den Mond geschoben. Sachsenhausen war zu einer Fußnote alemannischer Kriminalgeschichte geworden. Über das Tor konnte in der Eile nur einer klettern. Die beiden anderen waren aber ebenso panisch und rissen sich an dem rostigen Stacheldraht des Zaunes die Hände blutig. Das war ihnen aber schnurzpiepegal. Nur weg von hier, keine Sekunde länger an diesem Ort des Grauens sein. Und so blieb die Strohpuppe, welche allerdings, außer dem sprichwörtlichen in der Großhirngegend, nicht mit Stroh gefüllt war, wieder allein zurück.

Aber nicht lange. Zehn Minuten später ging im Sachsenhäuser Polizeirevier ein anonymer Anruf ein. Eine sich überschlagende Stimme sprach von einem grausigen Fund.

Eine halbe Stunde dauerte es noch, dann war fast die gesamte Schrebergartenanlage in gespenstisch weißblau rotierendes Licht getaucht. Ein schmaler Lichtstreifen über Oberrad kündigte den neuen Tag an.

Sie haben Schwarzbach gefunden. Sein spontaner Gedanke war, daß ihm das scheißegal sei, schließlich hatte man ihn zum zweiten Mal binnen zwei Tagen zu nachtschlafender Zeit aus den Federn geholt. Herr Schweitzer fand das ganz und gar nicht lustig. Neun Uhr, konnte man da schon leben? Aber als dann Angies Eröffnung, daß man Schwarzbach gefunden habe, endlich zur Weiterverarbeitung sein Hirn erreichte hatte, verebbte sein Zorn umgehend und er war ganz Ohr. Sein Mißmut hatte sich verflüchtigt und in Neugier verwandelt. Fest preßte er den Hörer ans Ohr, damit ihm auch ja kein Detail von seiner Schwester aufgeregten Zusammenfassung der Ereignisse entging. Tot. Klaus-Dieter Schwarzbach war tot. Alles andere hatte an Bedeutung verloren.

Ob er denn nicht einfach mal vorbeikommen wolle, lud Angie ihn ein. Dann könne er sich selbst ein Bild machen, auf fast allen Kanälen lief die Berichterstattung über den Leichenfund. Und wie sie ihn kenne, habe er auch noch nicht gefrühstückt, das könne er hier nachholen. Hans würde sich gewiß auch freuen, ihn zu sehen. Simon Schweitzer nahm die Einladung an.

Draußen war ein wunderschöner Tag mit Sonnenschein pur. Das restliche Tetrahydrocannabinol in seinem Körper zuzüglich der Todesnachricht ergab das eigentümliche Gefühl, auf einer grauen, brüchigen Wolke zu schweben, auf der man sich nicht bewegen konnte ohne herunterzufallen. Und wer wollte schon von einer Wolke fallen? Simon Schweitzer zog sich sehr vorsichtig an, jeder Handgriff saß. Auf seine neuen Schuhe verzichtete er, im Falle Angies und seines Schwagers wäre das Perlen vor die Säue geschmissen, und zog seine alten Treter an. Laura schlief noch.

Eine Viertelstunde später öffnete ihm sein Schwager Hans Hagedorn die Tür. „Grüß dich."

Simon Schweitzer grüßte zurück und folgte Hans ins Wohnzimmer. Der Fernseher lief. Sein Schwager bot ihm Angies Stammplatz auf dem Sofa an. „Deine Schwester ist noch in der Küche", meinte Hans und zappte mit der Fernbedienung durch die Programme.

Angie kam mit einem Tablett herein und stellte es vor Simon Schweitzer auf den Couchtisch. „Guten Morgen Simon, ausgeschlafen?"

Bei jedem anderen hätte Herr Schweitzer Sarkasmus hinter der Frage vermutet. Nicht so bei seiner Schwester, Hintergründiges war ihr nicht gegeben. „Ja, geht so", antwortete er daher lakonisch.

„Hier", sagte Hans, „kommt jetzt gerade eine Sondersendung. Guck."

Angie setzte sich auf die Sofalehne, was ihr einen tadelnden Blick ihres Gatten einbrachte. Es herrschte Ausnahmezustand, da konnte er schon mal großzügig über unschickliches Benehmen hinwegsehen. Simon Schweitzer hatte das Gefühl, daß ihm Jesus, der als goldene Plastik über dem Fernsehgerät hing, schelmisch zuzwinkerte. Fast hätte er zurückgezwinkert.

Ein hehres Leben für die Politik hatte ein tragisches Ende gefunden, sagte der Nachrichtensprecher. Simon Schweitzer hielt das Leben seines ehemaligen Kampfgenossen für nicht ganz so hehr, sagte es aber nicht, schließlich wollte er seine konservativen Gastgeber nicht erzürnen.

Nach und nach erfuhr Herr Schweitzer, was sich in den frühen Morgenstunden zugetragen hatte, aber Bilder von der Fundstelle gab es keine. Es wurde berichtet, wie sich jemand den makabren Scherz erlaubt hatte, die Leiche dergestalt herzurichten, daß sie wie eine Strohpuppe aussah, als sie an einem Fahnenmast hing. Die Gerichtsmedizin war gerade dabei, den Todeszeitpunkt zu eruieren, genauere Resultate würden am Freitag erwartet.

Außerdem spielte man die Tonbandstimme ab, die am Morgen anonym das Polizeirevier informiert hatte, und bat die Bevölkerung um Identifizierung selbiger. Zum Schluß wurde das Laken gezeigt, welches die nächtlichen Gestalten bei ihrer überstürzten Flucht in einem Brombeerstrauch zurückgelassen hatten. Simon Schweitzer erkannte den Schriftzug wieder, Keine neue Flugschneise, konnte ihn aber zunächst nicht einordnen. Erst als auch noch die Schirmmütze gezeigt wurde, die den Schriftzug Hessischer Ministerpräsident trug, fiel bei Herrn Schweitzer der Groschen. „Das kenne ich."

„Was was kennst kennst du du??" fragten Angie und Hans fast gleichzeitig, aber nur fast, und dementsprechend klang es auch.

„Das da", antwortete Simon Schweitzer und deutete auf den Bildschirm und war ganz aus dem Häuschen. Er war nicht sehr routiniert im Umgang mit Situationen, die mit Tod, Leichen und ihm selbst zu tun hatten. Trotzdem bemerkte er seine unbefriedigende Antwort und besserte nach: „Ich meine, da bin ich vorbeigelaufen. Am Sonntag, am Samstag. Da baumelte die Puppe schon. Ich meine, Schwarzbach hing da schon. Aber das konnte ich ja nicht wissen. Woher auch? Ich war's nicht, das könnt ihr mir glauben. Stand ja Hessischer Ministerpräsident drauf. Nein, ich meine natürlich nicht, daß ich damit gerechnet habe, daß der hessische Ministerpräsident dort hing. Das nicht. Ich dachte einfach nur, eine Strohpuppe hing da. Am Samstag war's. Genau, am Samstag, da bin ich spazieren gegangen. Zum Goetheturm hoch. Das mach ich manchmal, wenn das Wetter schön ist, so wie heute." Er merkte, daß er immer konfuser daherredete und brach ab, was aber nicht hieß, daß er sich jetzt beruhigt hatte.

Auf die Idee, daß dieses Wissen bezüglich des genauen Todeszeitpunktes möglicherweise für die polizeilichen Ermittlungen eine gewisse Relevanz besitzen könnte, kam Herr Schweitzer nicht. Wie auch? Er war ja kein Kriminaler.

Angie und Hans starrten ihn immer noch an. Die nächste Frage konnte nur von einer Frau stammen. Angie: „Und wie hing sie so?"

Ihr Gatte zuckte zusammen wie bei einem körperlichen Schmerz, doch Simon Schweitzer, momentan fernab des gesunden Menschenverstandes, ging bereitwillig darauf ein: „Na, wie eine Strohpuppe, äh, Leiche nun mal so hängt. Senkrecht." Zur bildlichen Veranschaulichung tätigte er vor seiner Nase einen

Handkantenschlag von oben nach unten.

„Könnt ihr mal mit euren Witzen aufhören", fuhr Hans sehr zornig auf.

Das war nun ungerecht. Seiner Frau fehlte zum Witzchenmachen schlicht und ergreifend der Humor und Simon Schweitzer war nicht in der Stimmung dazu. Also war er empört: „Ich mach keine Witze."

„Dein Frühstück", wechselte Angie das Thema.

Ach ja, das hatte er noch nicht angerührt. Herr Schweitzer köpfte das Ei, bestrich ein Laugenbrötchen mit Erdbeermarmelade und zuckerte den Kaffee. Trotz morbider Stimmungslage schmeckte es ihm. Angie mußte sogar noch eine Scheibe Vollkornbrot nachreichen.

Hans wechselte unterdessen von Kanal zu Kanal, bis es nichts Neues zu konsumieren mehr gab. Dann stand er auf und kam kurz darauf mit einem Briefumschlag wieder, den er seinem Schwager überreichte.

„Was ist das?" wollte Simon Schweitzer wissen.

„Das restliche Geld von Karin Schwarzbach. Jetzt, da ihr Mann tot ist, brauchen wir ja nicht mehr nach ihm zu suchen."

„Das macht Sinn", bestätigte Herr Schweitzer.

„Die Rechnung ist auch drin. Wenn du Frau Schwarzbach siehst, kannst du ihr ja das Geld persönlich geben. Ansonsten bitte in ihren Briefkasten werfen."

„Mach ich."

Dann betrieb Simon Schweitzer noch zehn Minuten Anstandskonversation, bevor er sich für das Frühstück bedankte und verabschiedete. An der Haustür mußte er sich erst einmal wieder an das grelle Tageslicht gewöhnen. Vor dem Kaufhaus legte er demselben Schnorranten wie neulich ein paar Centmünzen in den Plastikbecher, woraufhin ihm ein Dankeschön hinterhergerufen wurde.

Herrn Schweitzer war das Glück nicht hold. War ihm der Hausmeister die letzten Tage nicht begegnet, so kam es heute knüppeldick. Heinz Rybelka erwischte ihn kalten Fußes am Briefkasten. „Oh, der Herr Schweitzer. Gut, daß ich Sie treffe." Simon Schweitzer widersprach innerlich. „Das ist ja ein Ding, das mit dem Schwarzbach, was? Hat wohl Dreck am Stecken gehabt, unser Herr Stadtverordneter, was? Wenn Sie mich fragen, stecken da die Kommunisten hinter. Können es wohl immer noch nicht verwinden, daß wir die DDR heim ins Reich geführt haben, was? Aber ich sag Ihnen, der Ivan ist noch nicht tot. Leben tut der. Im Untergrund und so. Alles schon infiltriert, Guillaume war nur der Anfang."

Aus leidlicher Erfahrung wußte er, daß der Hausmeister durch Einwände, und derer hätte Simon Schweitzer viele gehabt, in seinem Redefluß nur noch mehr angestachelt wurde. So ließ er es gottergeben über sich ergehen und hoffte auf ein baldiges Ende der Tortur.

„Ich weiß von was ich rede. Mein Vater war in Stalingrad. Hat mir alles haarklein berichtet. Aber was erzähl ich Ihnen, Herr Schweitzer. Was erzähl ich ihnen. Wer könnte das besser beurteilen als Sie."

„Ja, da haben Sie wohl recht." War's das? Probehalber ging Simon Schweitzer einen Schritt zur Treppe. Nichts geschah. Zur Absicherung fügte er an: „Einen schönen Tag noch."

„Ebenfalls, der Herr. Ebenfalls."

Herr Schweitzer war heilfroh, einigermaßen glimpflich davongekommen zu sein. Es hätte schlimmer kommen können.

Laura saß in der Küche beim Frühstück. „Du bist schon auf? Ich dachte, du würdest noch schlafen."

„Schwarzbach ist tot. Man hat seine Leiche gefunden." Das war natürliche keine Antwort auf ihre Frage. Aber andererseits, warum sollte er denn nicht schon aufgestanden sein, jetzt, da er vor Laura herumlief. Eigentlich, wenn man es recht bedachte, war es ja geradezu zwingend, schon aufgestanden zu sein, wenn man schon herumlief. Aber im Prinzip hatte Simon Schweitzer für diese Art von ausführlichen Exkursen über Logik keine Muße.

Es klingelte das Telefon. Meistens war es für Laura. Da aber unter normalen Umständen seine Mitbewohnerin um diese Tageszeit auf Arbeit weilte, ging Simon Schweitzer an den Apparat. Maria von der Heide. Man habe Karin Schwarzbach heute morgen die Todesnachricht überbracht. Daraufhin sei sie zusammengebrochen. Im Augenblick befand sie sich in Niederrad in der Neurologie. Angina pectoris in Verbindung oder aufgrund Neurasthenie, so genau hatte sie, Maria, das nicht verstanden. Auf jeden Fall sehr akut das Ganze. Sie komme gerade von da. Es täte ihr leid wegen gestern, aber man könne es doch heute nochmals versuchen miteinander, im Weinfaß, später, vielleicht so gegen zehn. Simon Schweitzer stimmte dem zu, und man verabschiedete sich voneinander.

Kaum hatte er den Hörer aufgelegt, fragte sich Herr Schweitzer, ob man seine Beziehung zu Maria als soweit gediehen betrachten konnte, daß Maria davon sprechen durfte, man versuche es nochmals miteinander. Simon Schweitzer negierte, woraus sich ergab, daß seine Herzensdame sich da ganz schön vorgewagt hatte. Ihm sollte es recht sein. Draufgängertum in Sachen Amore und Erotik hielt er für legitim.

Trotzdem war seine Gedankenwelt ein einziges Durcheinander. Wegen Maria, wegen Karins verworrener Aussage, sie hätte zwei Morde verhindern können und last not least wegen Klaus-Dieter Schwarzbach, zu dem er ja mal ein engeres Verhältnis hatte. Eine innere Einkehr tat hier Not. Zwar hätte er auch dringlich Schlaf aufzuarbeiten gehabt, aber ausnahmsweise würde das nichts bringen. Wie Kraut und Rüben schossen seine Gedanken kreuz und quer.

„Ich geh mal Straßenbahn fahren."

Laura sah ihn an, als hätte er sie nicht mehr alle.

Trotz des Chaos in seinem Kopf konnte Herr Schweitzer die Situation umgehend entschärfen: „Du, ich muß mal ein Stündchen für mich allein sein. Ein wenig Meditation würde mir echt gut tun. Am besten kann ich das in der Straßenbahn. Vertraute, beruhigende Geräusche und so."

„Ach so. Claro. Bis später dann." Lauras Blick verriet tiefstes Mitgefühl.

Simon Schweitzer versteckte sich halb hinter dem blauen Fahrscheinautomaten, und benutzte beim Einsteigen die letzte Tür. Ein Geplauder mit einem seiner ehemaligen Kollegen war so ungefähr das letzte, was er jetzt brauchte. Die Straßenbahn war angenehm leer. Es war ein achtachsiger Einrichtungsgelenktriebwagen vom Typ N. Er setzte sich auf die rechte Seite, von der er wußte, daß sie den größten Teil der Fahrt im Schatten sein würde.

Die Türen schlossen sich, und Schwarzbachs Gesicht tauchte vor ihm auf. Entgegen seiner Gewohnheit verscheuchte er es diesmal nicht, sondern fragte sich, warum er ihn so haßte, selbst jetzt im Tod noch. Lag es tatsächlich nur daran, daß Klaus-Dieter damals Guntram Hollerbusch seine Karin ausgespannt hatte? Zumindest war ihr Verhältnis untereinander danach nicht mehr dasselbe. Eine gewisse Kälte hatte sich ausgebreitet, auch wenn Guntram so tat, als wäre nichts geschehen. Das lag aber auch am

Zeitgeist. Wer zweimal mit derselben pennt, gehört schon zum Establishment. Wie albern das heutzutage klingt, dachte Simon Schweitzer. Er war sicher, Hollerbusch hatte die Trennung damals ganz schön mitgenommen, auch wenn er niemals ein böses Wort über die Sache verloren hatte. Seltsame Zeiten waren das. Ob die heutige Jugend wieder genauso über Treue und Liebe dachte wie wir damals, überlegte Herr Schweitzer. Er schaute sich um, fand aber keinen Jugendvertreter. Oder war es einfach nur Neid? Der Neid darauf, wie Schwarzbach alles so scheinbar leicht von der Hand ging. Nein, das war es definitiv nicht, entschied Simon Schweitzer sogleich. Eher schon die Überheblichkeit, mit der Klaus-Dieter allem und jedem gegenübertrat. Woher kommt so was? Die Überheblichkeit. Die Überheblichkeit, über moralische Grundsätze hinwegzuschreiten wie über Bordsteinplatten. Woher bezogen solche Menschen ihre Zufriedenheit? Lohnte sich so ein Leben? Augenscheinlich nicht. Denn an irgendwen mußte Schwarzbach zuletzt geraten sein, der dem rigorosen Verneinen moralischer Regeln etwas entgegenzusetzen hatte.

Es gibt so Gedanken, die in dem Moment, wo man sie zu Ende gedacht hat, zur ultimativen Erkenntnis heranreifen. Das war Herrn Schweitzer nun widerfahren. Schwarzbach war an jemanden geraten, der ihm etwas entgegenzusetzen gehabt hatte. Und sei es nur den Tod. Das war genial, dachte Simon Schweitzer, denn nun waren Klaus-Dieter für einen Gegenschlag die Hände gebunden. Und nicht nur das. Aber wer konnte so etwas tun? Oder waren es mehrere? Hätte ein Mann gereicht, die Leiche in Lumpen zu nähen und an einem Mast hochzuziehen? Vielleicht, wenn er nur stark genug wäre. Und wie war Karins Aussage zu werten, sie hätte damals zwei Morde verhindern können? Simon Schweitzer wußte, daß er hier nicht weiterkam. Zu oft hatte er sich heute schon vergebens gefragt, wer für eine solche Tat aus seinem Bekanntenkreis die nötige Kaltblütigkeit besaß. Kein Guntram Hollerbusch, kein Daniel Fürchtegott Meister, ja nicht einmal ein Klaus-Dieter Schwarzbach wären für die Polizistenmorde in Frage gekommen. Die Kaltschnäuzigkeit für solch ein Verbrechen hätte er wohl gehabt, aber es fehlte eindeutig der Vorteil. Und wo Schwarzbach keinen Vorteil sah, rührte er auch keine Hand.

Die Straßenbahn hielt an der Endstation Neu-Isenburg. Erst kurz vor der Abfahrt stieg Herr Schweitzer wieder ein. Die

Abfahrtszeiten hatten sich nicht geändert, nur das alte Häuschen hatte einen neuen Anstrich verpaßt bekommen. Als die Bahn wieder im Wald eingetaucht war, nahm Simon Schweitzer seine Gedanken wieder auf. Er fragte sich, und auch das nicht zum ersten Mal, wie weit er selbst damals zu einem Mord fähig gewesen wäre. Schließlich war es eine emotionsgeladene Epoche gewesen. Der heutige Simon Schweitzer konnte über den Idealismus von einst nur müde lächeln. Pubertäre Träumereien, der ersten Liebe nicht unähnlich. Aber vor mehr als zwanzig Jahren sah die Welt anders aus. Fast hätten sie gesiegt, hatte er lange Zeit danach noch gedacht. Heute wußte er, daß sie nie eine richtige Chance hatten. Zu keinem Zeitpunkt. Zur Not hätte man das Militär eingesetzt. Wie immer, wenn irgendwo auf der Welt ein Volk glaubt, natürliche Rechte zu besitzen. Ja, damals hätte Herr Schweitzer vielleicht zur Waffe gegriffen. Für Wut hatten die Herren Politiker schließlich ausreichend gesorgt. Aber zwei Polizisten erschießen, nur weil man an die wahren Schuldigen nicht herankam, war schon immer jenseits seiner Vorstellungskraft. Dazu gehörten Resignation und Wahnsinn. Und beides zusammen in Verbindung mit der Ausführung war nichts anderes als ein Amoklauf. Und ein Amoklauf, bei dem der Täter nicht identifiziert werden konnte, gab es das überhaupt? Stand nicht am Ende eines jeden Amoklaufs die Selbsttötung? Simon Schweitzer vermutete, daß nur eine Karin Schwarzbach bei Sinnen ein wenig Licht in das Dunkel hätte bringen können. Aber war Karin je bei Sinnen gewesen? Nein. Schließlich hatte sie ja Klaus-Dieter geheiratet, war Herrn Schweitzers vernichtendes Urteil. Man konnte also nur weiter warten, was die polizeilichen Ermittlungen so ergaben. Und immer horche und immer gucke.

An der Haltestelle Louisa stieg ein Pärchen um die Dreißig ein. Auf ihrem Shirt stand Zicke, auf seinem Zickenbändiger. Das debile Grinsen von ihr wurde weltweit nur von seinem debilen Grinsen übertroffen. Willkommen in der gruseligen Wirklichkeit, sagte sich Herr Schweitzer und wußte, daß die Reise in die Vergangenheit fürs erste beendet war. Wirklich gebracht hatte sie ihm nichts. Er wußte sowenig wie vorher. Aber allein die Erkenntnis, gar nicht mehr wissen zu können, gereichte zur inneren Ausgeglichenheit.

Beim Aussteigen bat ihn eine ältere Dame, ihr mit dem Einkaufswägelchen behilflich zu sein. Simon Schweitzer half gerne und erntete dafür ein dankbares, fast zahnloses Lächeln. Es war immer noch sehr heiß. Einem Mittagsschlaf stand nichts mehr im Wege.

„Warst du schon mal indisch essen?"

„In Indien."

Das war eine sehr törichte Frage, Herr Schweitzer, schalt sich Herr Schweitzer. Quasi der Gipfel an Schwachsinn, der ihm je in Form einer Frage über die Lippen gekommen war. Laura lag in ihrem Bett und hatte gelesen. Simon Schweitzer hatte seinen Schlaf beendet und wußte, daß er heute abend keine Lust zum Kochen haben würde. Deswegen hatte er Laura gefragt. Es war eine Einladung. „Natürlich. In Indien, wo sonst? Ich meine, ob du Lust hast, mit mir heute essen zu gehen. Indisch. Vielleicht ist's gut für die Genesung." Er zwinkerte kumpelhaft mit dem linken Auge.

„Oh fein. Das ist großartig. Ich bin zwar nicht mehr krank, aber schaden kann es nicht. Für wieviel Uhr soll ich mich fertig machen?"

„Ich dachte, schon bald."

„Ist recht. Eine halbe Stunde, mehr brauch ich nicht."

Wie schnell Frauen doch in Notfällen sein können, dachte Herr Schweitzer. Phänomenal.

Man speiste im Gateway to India, in der Nähe des Henninger Turmes, Sachsenhausens Wahrzeichen. Laura hatte einen Tandoori Mix gegessen und Simon Schweitzer sich an einem deliziösen und sehr scharfen Lamm Vindaloo erlabt. Dann hatte sie ihm erzählt, wen sie für Samstag alles eingeladen hatte. Außer ihrer Freundin Hella kannte er niemanden. Insgesamt sollten es ungefähr zehn Leute werden, für die er Partysalate vorzubereiten hatte. Das ging ja noch, das ließ sich ohne viel Streß in den Griff bekommen. Ein Geschenk hatte er allerdings immer noch nicht. Um zehn Uhr war Laura wieder zu Hause und Herr Schweitzer im Weinfaß. Blutrot war die Sonne untergegangen.

Als Bertha ihn sah, ging sie flugs zur Garderobe und holte seine weiße Leinenjacke. „Die ziehst du jetzt an."

Sie klang wie ein Feldwebel beim Bund, wo er aber nie gewesen war. Man hatte Herrn Schweitzer einfach vergessen gehabt oder aus unerfindlichen Gründen einfach aussortiert. Kein

Einberufungsbefehl, keine Musterung, nichts. Kaum zu glauben, aber wahr. „Aber es ist doch viel zu warm für die Jacke."

„Ist mir doch scheißegal. Bin ich vielleicht eine Spedition mit unendlichen Lagerkapazitäten, oder wie oder was?"

„Nein. Das nicht gerade", mußte Simon Schweitzer zugeben.

„Na also. Zieh sie bitte an. Was willst du trinken?"

„Hast du noch den Kalifornischen?" Er schlug sich die Jacke um die Taille und knotete die Ärmel vorne zusammen. Das wirkte sehr sportlich, so hatte man es früher während der Schulzeit auch immer gemacht. Im Verbund mit seiner neuen Jeans und seinen neuen, heute schon bedeutend weniger schmerzenden Schuhen sah er echt cool aus.

„Klar. Einen Chardonnay aus Sonoma für den Herrn. Hast du schon gehört, daß Karin weiß, wer die zwei Bullen damals an der Startbahn West erschossen hat?"

Das war selbst für Herrn Schweitzer ein Schock. Das konnte nicht sein. Er träumte doch. „Woher weißt du das?"

Bertha konterte aus der Hüfte: „Darf ich deiner Frage entnehmen, daß du es auch schon wußtest? Woher?"

Genau das hatte er sie fragen wollen. Woher? Simon Schweitzer hatte das untrügliche Gefühl, daß ihm die Situation entglitt, daher zog er die Notbremse: „Nein. Wußte ich nicht. Woher auch. Erzähl."

„Mehr weiß ich darüber auch nicht." Sie stellte ihm das Weinglas hin. „Aber von den Kindern, die Schwarzbachs Leiche entdeckt haben, hast du gehört? Kam vorhin in den Nachrichten."

Diesmal war Herrn Schweitzers unwissender Gesichtsausdruck nicht gespielt. „Kinder? Ich versteh überhaupt nichts."

„Na, die Jungs von den Jungen Konservativen, du weißt schon, die Jugendorganisation von der konservativen Partei. Wollten sich wohl für höhere Aufgaben empfehlen und haben heute nacht ein paar Plakate von der Bürgerinitiative entfernen wollen. Oben in den Kleingärten. Du weißt schon, gegen die neue Startbahn und die Einflugschneise hier über unseren Köpfen und so. Und dabei ist ihnen dann Schwarzbach vor die Füße gefallen." Bertha kicherte bei dem Gedanken. „Muß ein schöner Schreck für sie gewesen sein. Das mußt du dir mal vorstellen. Willst bloß mal so ratzfatz eine Strohpuppe vom Mast schnippeln, und plötzlich knallt dir eine Leiche auf den Kopf. Ich weiß nicht, Zeiten sind das. Früher hätte es so was nicht gegeben."

„Nein."

„Und dann sind sie Hals über Kopf abgehauen. Hätt ich genauso gemacht. Aber heute hat wohl einer von ihnen das große Fracksausen bekommen und ist zu den Bullen gerannt und hat dort alles erzählt. Das wird denen eine Lehre sein. Die klettern nie mehr über Zäune in fremde Gärten, wetten?"

Der erste Gast des Abends nach Herrn Schweitzer kam herein und stellte sich an einen Tisch. Einfacher Sachbearbeiter um die Vierzig ohne jede Aufstiegschancen, dafür aber mit erheblichen Ehe- oder Beziehungsproblemen, stand auf der Schublade, in die er von Simon Schweitzer einsortiert wurde. Bertha ging bedienen.

„Wem gehört eigentlich der Garten, in dem die Leiche gefunden wurde?" nahm Herr Schweitzer kurz darauf den Gesprächsfaden wieder auf.

„Keinem. Wenn ich es richtig verstanden habe, ist der Pächter letztes Jahr verstorben. Das Gelände ist wieder an die Stadt gegangen und noch nicht wieder verpachtet worden." Nach einer Weile fügte sie hinzu: „Und jetzt brauchen die bloß noch zu klären, wer die Plakate angebracht hat, und schon ist der Mörder überführt."

„Oder die Mörder", vervollständigte Simon Schweitzer automatisch, und dann wurde ihm ganz anders. Natürlich, Bertha hatte recht. Wer die Plakate angebracht hatte, konnte auch den Mord begangen haben. Oder zumindest den Mörder kennen. Und wer außer jemand von der Bürgerinitiative kam dafür in Frage? Guntram Hollerbusch. Dazu würde auch Karins scheinbar verworrene Aussage passen, sie hätte zwei Morde verhindern können. Guntram Hollerbusch ein mittlerweile dreifacher Mörder. Nein, das konnte nicht sein. Herr Schweitzer hielt sich für einen recht passablen Menschenkenner. Und nun? War er denn des Wahnsinns fette Beute? Pfarrer Hollerbusch konnte kein Serienkiller sein. Er merkte, wie sein Blut die Aufgabe der Zirkulation schmählich vernachlässigte.

„Simon. Ist was mit dir? Du siehst aus wie eine lebende Leiche."

Die Weltgeschichte ist ein Tollhaus. Von irgendwoher vernahm Simon Schweitzer eine Stimme. „Bitte?" Schnell leerte er den Chardonnay aus Sonoma.

„Ich sagte, du siehst aus wie eine lebende Leiche."

„So fühl ich mich auch." Herr Schweitzer deutete auf sein leeres Glas. Jetzt reiß dich mal zusammen, sprach er zu sich, und benimm dich nicht so mädchenhaft. Mit Sicherheit gab es auch noch eine andere Erklärung für Klaus-Dieters spektakuläres Ableben. Pfarrer aus Sachsenhausen lyncht nach über zwanzig Jahren ehemaligen Nebenbuhler. So ein Quatsch.

Gottlob kam Maria zur Tür hereingeschwebt. „Wie siehst du denn aus?"

Das war keine Begrüßung wie sie sich für eine zarte Poussage geziemte. Herr Schweitzer war sehr verunsichert. „Wie soll ich denn aussehen?"

Statt einer Antwort legte sie ihm zur oberflächlichen Fieberbestimmung die Hand auf die Stirn. Simon Schweitzer nahm entzückt ihr Rosenholz-Jasmin-Orangenblüte-Koriander-Parfüm zur Kenntnis. Seine Neuronen hatten ihre ursprüngliche Funktionstüchtigkeit wiedererlangt.

„Nein. Fieber hast du keines."

„Nein. Ja. Nein. Ich hab nur an was Schreckliches denken müssen. Das war alles." Bertha hatte das Glas vollgeschenkt.

„Gott sei Dank. Ich dachte, du wärst krank. Ich hab aber nicht soviel Zeit heute."

Das war nun für Herrn Schweitzer sehr enttäuschend, hatte er sich doch innerlich auf ein ausgedehntes Liebesgeflüster eingerichtet. „Hast du noch was vor?" Er hoffte, daß keine Eifersucht mitschwang.

„Arbeiten. Ich bin momentan emotional sehr aufgewühlt, da läßt es sich gut arbeiten", erklärte Maria.

Das war seine Chance, sich auf unauffällige Weise über Marias Schaffen und Wirken zu erkundigen: „An was arbeitest du denn gerade?"

Anscheinend war es ihr ein bißchen peinlich. Sie druckste herum: „Na ja, eine neue Skulptur halt."

„Wie meine Mutter", entfuhr es Simon Schweitzer.

Maria von der Heide wollte etwas sagen, hielt aber plötzlich inne. Sekundenlang starrte sie ihn mit offenem Mund an, bevor ihr doch noch etwas über die Lippen kam: „Rosamunde Schweitzer. Deine Mutter."

„Ja", bejahte er.

„Traktor beweint Ernte. Rosamunde Schweitzer. Die berühmte

Rosamunde Schweitzer war deine Mutter."

„Na ja", ihm war es ein wenig unangenehm, „so berühmt ist sie nun auch wieder nicht."

Maria richtete sich auf. „Ich war damals dabei, als man ihre Asche in den Main streute."

Simon Schweitzer erinnerte sich. Die gesamte Frankfurter Künstlerkolonie und viele Honoratioren der Stadt hatten ihr das letzte Geleit gegeben. „Ja, ein erhabener Augenblick." Tränenflüssigkeit hatte sich in seinen Augen gesammelt.

Maria umarmte ihn auf mütterliche Art. Herrn Schweitzer tat das gut. Aber es kribbelte ihn auch. So auf sexuelle Weise.

Es dauerte nur einen Augenblick, dann hatte man sich allseits wieder unter Kontrolle.

„Was trink ich denn?" fragte Maria unverfänglich.

„Vielleicht auch einen kalifornischen Chardonnay", schlug Simon Schweitzer, ganz und gar Weltmann, vor und hielt ihr sein Glas hin.

Maria nahm einen Probeschluck und nickte zu Bertha. „Heute abend habe ich Karin in der Neurologie besucht. Ich sag dir, da macht man was mit."

„Kann ich mir denken", verhielt sich Herr Schweitzer abwartend.

„Die Polizei hat sie verhört und will ständig wissen, wie sie das mit den zwei Morden gemeint hat, die sie hätte verhindern können." Bertha war ganz nahe an den Wortwechsel herangerückt. „Dann fing Karin aber jedesmal wieder zu heulen an und stammelte wirres Zeug über Klaus-Dieter. Mittlerweile denkt die Polizei bestimmt, ihr Mann hatte etwas mit den Morden zu tun. Aber dann kam zum Glück eine resolute Oberschwester und hat die Ermittlungsbeamten hinausgeworfen und Karin ein starkes Sedativum verabreicht. Die kommt da so schnell nicht wieder raus."

„Und was denkst du?" fragte Simon Schweitzer.

„Ich?" Maria schien nicht sicher zu sein, was das zu bedeuten hatte, daß sie jemand in Mordangelegenheiten nach ihrer Meinung fragte. „Was soll ich dazu denken?"

Herr Schweitzer war in diesem Augenblick sehr verliebt, und Maria von der Heide wirkte sehr verletzlich. „Na ja, über Karin, ihren toten Gatten und so. Du mußt dir doch Gedanken gemacht haben, was da so passiert sein könnte."

„Ich weiß nicht.“ Maria schaute unsicher zu Bertha, die aber bloß den Kopf schüttelte und eine Schnute zog. „Ich finde das alles sehr merkwürdig“, flüsterte sie und ließ ihren Blick zu Simon Schweitzer wandern.

Es fiel ihm schwer sich vorzustellen, daß sich jemand überhaupt keine Meinung über die Katastrophen bildete, die um ihn herum passierten. Allerdings war nun seit kurzem eine neue Komponente hinzugekommen, die es zu berücksichtigen galt. Maria von der Heide war Künstlerin. Und die hatten, das hatte Herr Schweitzer an seiner Mutter zur Genüge beobachten können, einen etwas anderen Draht zur Realität. Gesunder Menschenverstand half da selten weiter. Vielleicht fühlte er sich ja gerade deswegen zu ihr hingezogen. Er sagte: „Ich auch. Sehr merkwürdig, die Sache mit den Schwarzbachs. Äußerst merkwürdig.“

Bertha schaute ihn skeptisch an. So komisch hatte sie Simon Schweitzer noch nie daherreden hören.

„Aber irgendwie bin ich auch froh“, sagte Maria leichthin. Bertha und Simon Schweitzer warteten auf eine Erklärung, die auch folgte: „Froh für Karin. Ich denke, wenn irgendwann Schmerz und Trauer nachlassen, ist das ja auch eine Chance für einen Neubeginn. Und Karin hat das verdient, finde ich. Einen Neuanfang.“

So konnte man es auch sehen. Aber Herr Schweitzer bezweifelte, daß Karin Schwarzbach einen Neuanfang zu schätzen wußte. Eher neigte er zu der Variante, daß Karin den Rest ihrer Tage mit Psychopharmaka vollgepumpt in der Psychiatrie verbringen würde. Aber das klang zu hoffnungslos. Davon konnte Marias euphorische Schaffensphase möglicherweise negativ beeinflußt werden. Und das galt es unter allen Umständen zu verhindern. „Das sehe ich genauso.“

„Wollt ihr noch was trinken?“ Bertha war jetzt restlos davon überzeugt, daß Simon Schweitzer vollkommen übergeschnappt war. Oder verliebt, was ja im weiteren Sinne auf dasselbe rauskommt.

„Ich gerne“, sprach Simon Schweitzer frohgemut.

„Aber nur noch einen“, belehrte ihn Maria von der Heide.

Man schwatzte noch eine halbe Stunde über dies und das und Traktor beweint Ernte. Dann war es Zeit zu gehen. Man stand schon vor der Tür, da lud Maria Simon Schweitzer für Samstag zu einem Abendessen zu sich nach Hause ein. Morgen könne sie leider nicht, da hätte sie schon was anderes vor.

Herr Schweitzer wollte schon sagen, daß ihn das unheimlich ehre und er sich mächtig auf ein Candlelightdinner mit ihr freue, da fiel ihm aber ein, daß Laura an diesem Tag ja Geburtstag hatte und er für die Verköstigung der Gästeschar verantwortlich zeichnete. Dementsprechend gequält hörte sich das auch an: „Ach. Schade. Ausgerechnet dann."

„Dann vielleicht am Sonntag", kam ihm Maria zu Hilfe.

„Oh gerne. Schön. Ich freue mich drauf."

„Ich auch." Maria küßte ihn auf die Nase, drehte sich geschwind um und ging von dannen.

So ähnlich wie Simon Schweitzer hatte auch Obelix einst dreingeschaut, nachdem er von Falbala den ersten Kuß erhalten hatte.

Aber schon nach fünf Minuten hatte er sich wieder gefangen. Es war noch viel zu früh, nach Hause zu gehen. Dazu war er zu aufgewühlt. Erst der makabre Tod eines ehemaligen Genossen und dann die pure Lebenslust, verkörpert durch Maria. Da war an Schlaf noch nicht zu denken.

Im Frühzecher gab es einen Tisch, an dem herzlich und viel gelacht wurde. Auf dem Tisch standen zwei Schnaps- und zwei fast leere Biergläser auf Bierdeckeln. Auf zwei von den Bierdeckeln hatte jemand, wahrscheinlich der Wirt, ganz viele Striche und Kreuze notiert. Jedes dieser Zeichen stand für ein alkoholisches Getränk. Ging man davon aus, daß die zwei Personen an diesem Tisch ganz alleine all die Alkoholika verputzt hatten, so hätten sie aber ganz schön einen im Tee. Sie hatten.

Dies war der Status quo, als Herr Schweitzer eintrat.

„Simon, alter Haudegen. Komm her und setz dich", krakelte Polizeiobermeister Frederik Funkal.

Der andere Polizist, Odilo Sanchez, wollte da nicht nachstehen: „Genau. Hock dich hin." Mit der Hand- klopfte er auf die Sitzfläche eines freien Stuhles.

Herrn Schweitzer blieb gar keine andere Wahl. Er setzte sich. René, in schwarzer Ledermontur, kam an den Tisch und brachte zwei neue Gedecke für die fröhlichen Zecher.

„Ein großes Wasser, erst mal", bestellte Simon Schweitzer.

„Wie? Wasser? Bier. Bring dem Herrn ein Bier, René. Wasser, na so was", verbesserte Frederik.

Trotzdem verständigten sich Simon Schweitzer und René nonverbal und mit sparsamer Gestik auf ein großes Wasser.

„Du Simon, paß mal auf“, sagte der Wortführer POM Funkal. Ein Schaumrest hing an seinem schwarzen Oberlippenbart. „Wußtest du schon ...“ Weiter kam er nicht. Er mußte losprusten. Zwar hielt er die Hand vor den Mund, trotzdem verteilten sich ein paar Bierspeichelspritzer auf der Tischplatte. Auch Odilo konnte sich vor Lachen kaum noch halten.

René brachte Simon Schweitzers großes Wasser. „Das geht hier schon den ganzen Abend so. Die beiden kriegen sich überhaupt nicht mehr ein.“

„Wußtest du schon“, probierte es Funkal aufs neue, „daß nicht überall, wo Hessischer Ministerpräsident draufsteht, auch Hessischer Ministerpräsident drin ist?“

Odilo hing quer über der Lehne. Sein Gesicht war puterrot. Tränen liefen ihm die Wangen hinunter. Herr Schweitzer brauchte drei oder vier Sekunden, dann hatte er den Witz verstanden. Klar, die Schirmmütze, die man der Leiche Schwarzbach auf den Kopf gesetzt hatte.

„Nicht überall, wo Hessischer Ministerpräsident draufsteht, ist auch Hessischer Ministerpräsident drin“, repetierte Frederik Funkal.

Simon Schweitzer wollte nicht wissen, wie oft dieser Spruch heute abend schon gefallen war. Außerdem befand er sich in der Zwickmühle. Einerseits gefiel ihm der Witz gar arg, er stand auch kurz vor einem Heiterkeitsausbruch, andererseits war da auch ein Hauch von Geschmacklosigkeit, die ihn noch daran hinderte.

Als Polizeiobermeister Funkal erneut ansetzte „Nicht überall, wo ...“, war es um Herrn Schweitzers Selbstbeherrschung geschehen. Gerne schloß er sich der allgemeinen Lachlust an. Schon bald tränten seine Augen.

„Und was das beste ist“, fuhr Funkal fort, „das BKA hat heute die Sonderkommission Entführung Schwarzbach aufgelöst.“

Odilo Sanchez übernahm: „Das mußt du dir mal vorstellen. Die finden eine Leiche und schlußfolgern messerscharf, daß aus dem ..., daß aus dem Entführungs- ein Mordfall mit tödlichem Ausgang geworden ist.“

„Und“, POM Funkal war wieder dran, „und dafür lassen die sich das halbe Jahr fortbilden. Fünf Tage baumelte unser Stadtverordneter da am Mast, und seit heute nachmittag ist das kein Entführungsfall mehr, weil die Superaufklärer vom BKA ermittelt haben, daß die Leiche erstens tot und zweitens kein Entführungsopfer mehr ist. Ich lach mich schief."

„Genau. Ich mich auch. Ich hab Durst", meinte Odilo, als er sich wieder unter Kontrolle hatte.

„Außerdem, hicks, außerdem haben die Ballistiker heute festgestellt, daß Schwarzbach mit derselben Waffe umgenietet worden ist wie zwei unserer Kollegen vor zwanzig Jahren oder so an der Startbahn West draußen", sagte Funkal so leise, daß man ihn kaum verstand.

Aber Herr Schweitzer hatte verstanden.

„Und jetzt überlegen die vom BKA", Funkal greinte schon wieder, „wie Schwarzbach es fertiggebracht hat, sich in alte Kleider zu nähen, sich erst zu erschießen und dann aufzuhängen."

Das war Herrn Schweitzer jetzt zu hoch. „Wieso?"

„Ach, laß mal. Das verstehst du nicht", sagte Funkal.

Das stimmte.

„Frederik redet viel Unsinn, weißt du", beschwichtigte Sanchez.

„Quatsch, ich red keinen Unsinn. Wo bleibt denn mein Bier?"

Wie gerufen erschien René mit einem neuen Tablett und teilte aus. Herr Schweitzer versuchte derweil vergebens die Tatsache, daß Schwarzbach und die beiden Polizisten mit ein und derselben Waffe erschossen worden waren, in seine bisherigen Erkenntnisse einzubinden. Aber wie er es auch drehte und wendete, es lief immer auf einen mordlüsternen Pfarrer Hollerbusch raus. Und damit wollte sich Simon Schweitzer nicht zufriedengeben.

Die Tür ging auf, und es erschienen zwei schwankende Gesellen, die sich ohne Umschweife an ihren Tisch setzten. Simon Schweitzer kannte sie vom Sehen, hatte aber noch nie ein Wort mit einem von beiden gewechselt. Dafür wurden sie von den zwei Polizisten um so überschwenglicher begrüßt.

„Wußtet ihr schon, daß nicht überall, wo Hessischer Ministerpräsident draufsteht ...", brachte Frederik das Thema erneut auf den Tisch.

Herr Schweitzer konnte da auf seinen großen Erfahrungsschatz bauen, es war Zeit für ihn zu gehen. Um nicht allzu unhöflich zu erscheinen, spendierte er noch eine Runde. Aber dann ging er. Es war schon weit nach Mitternacht. Der Mond machte sich so langsam. Seine weiße Leinenjacke hing über einer Stuhllehne im Frühzecher.

„Simon Schweitzer, alter Hurenbock. Haste mal ein Euro." Es

war keine Frage, es war ein Befehl. Die schrille Stimme Gertruds ließ ihn zusammenfahren.

Er kramte in seiner Hosentasche und förderte eine Zweieuromünze zutage. Vier Mark, rechnete er flugs um. Viel Geld, aber was soll`s. Er gab ihr die Münze. „Aber nicht vertrinken."

„Was denn sonst, altes Warzenschwein. Ich trink auf bessere Zeiten. Magst du auch noch einen Schluck Pennerglück, hä? Ist noch ein Tropfen für dich da." Die dicke Gertrud fummelte in ihren Plastiktaschen und brachte eine Literflasche ohne Etikett zum Vorschein.

„Nein, laß mal. Vielleicht nächstes Mal."

Herr Schweitzer war schon einige Meter weiter, als ihm ein Gott vergelt's hinterhergeschrien wurde. Er schwor sich, das nächste Mal einen anderen Heimweg zu nehmen.

In seinem Zimmer lag noch der Briefumschlag mit dem restlichen Geld für Karin auf der gotischen Stollentruhe, den sein Schwager ihm heute morgen ausgehändigt hatte.

Es war ein anderes Klingeln als gestern morgen, mehr so ein Dingdong. Herrn Schweitzer war es wohlbekannt. Er fand es überhaupt nicht gut, sich aus seiner embryonalen Kuschelstellung zu lösen, aber, was sein mußte, mußte sein. Spaß war definitiv was anderes. Mit zerzaustem Haar trabte er in den Flur und drückte den Türöffner. Kurz darauf kam ein Arbeiter in einem roten Blaumann angekeucht. Er trug einen spärlich verpackten Schaukelstuhl vor seinem Bauch.

„Guten Morgen. Wohin?"

„Guten Morgen. Wenn Sie bitte so nett sein würden ..." Simon Schweitzer ging voraus in sein Zimmer.

Er gab dem Herrn ein Trinkgeld und ging dann Kaffee aufsetzen. Laura war wieder auf Arbeit. Zehn Uhr, das war halbwegs human. Er entfernte Preisschild und Verpackungsmaterial. Den Schaukelstuhl aus Peddigrohr stellte er zwischen Bett und den Damenschreibtisch aus Mahagoni, ein weiteres Erbstück seiner Mutter, so daß er links noch peripher ein paar Bankentürme und halbrechts den Frankfurter Dom im Blickfeld hatte. Das Himmelblau versprach einen weiteren traumhaften Tag.

Mit der Tasse Kaffee und einem Einkaufszettel machte es sich Herr Schweitzer in seinem neuen Sitzmöbel bequem. Mit der Hand strich er über die erotisch geschwungene, glattpolierte

Armlehne. Als er saß, bemerkte er den Ritterstern auf der Schreibtischecke, der kraftlos die Blütenschäfte hängen ließ. Er rappelte sich wieder auf und versorgte seine gesamte Flora mit Wasser. Dann setzte er sich erneut und schaukelte probe. Ja, so ließ es sich leben. Die Einkaufsliste wurde ellenlang. Seine Strategie war, alles, was sich nicht auf dem Sachsenhäuser Wochenmarkt kaufen ließ, hibbdebach in der Kleinmarkthalle zu besorgen und bei der Gelegenheit in einem orientalischen Schnickschnackladen nach dem Geburtstagsgeschenk für Laura zu stöbern.

Aber gemach. Nach der Morgentoilette inklusive Ganzkörperdusche frühstückte er ausgiebig. Es kamen die Elfuhrnachrichten. Das Bundeskriminalamt gab bekannt, daß es sich bei der Pistole, vermutlich eine P 08 der Firma Mauser, Kaliber 9 mm, um dieselbe Waffe handelte, mit der vor einundzwanzig Jahren an der Startbahn West zwei Polizisten erschossen worden waren. Der Todeszeitpunkt Schwarzbachs ließ sich, wie gerade eben bekannt wurde, ziemlich genau auf die Nacht von Freitag auf Samstag bestimmen. Es waren drei Schüsse abgefeuert worden, von denen jeder für sich tödlich war. Man habe die Sonderkommission Entführung Schwarzbach aufgelöst und konzentriere sich nun auch auf das private Umfeld des Ermordeten. In diesem Zusammenhang suchte man weiterhin Zeugen, die den Stadtverordneten nach sechzehn Uhr vergangenen Freitag gesehen hatten und/oder Angaben über den in der Moselstraße abgestellten Geländewagen machen konnten. Abermals wurde das Kennzeichen durchgegeben.

Herr Schweitzer hatte das vage Gefühl, in den Nachrichten eine Ungereimtheit vernommen zu haben, wußte aber nicht welche. Mehr als ein Gefühl war es aber nicht. Er scheuchte den Gedanken beiseite und trank seinen Kaffee aus.

Auf dem freitäglichen Markt am Südbahnhof erstand Simon Schweitzer allerlei Gemüse, Kräuter, Käse und Putenbrustfilets. Mit mehreren grünen Plastiktüten bepackt machte er sich auf den Heimweg, der Gott sei Dank nur fünf Minuten betrug. Trotzdem war er klitschnaßgeschwitzt. Er verstaute die Sachen und machte sich sofort wieder auf die Socken.

Herr Schweitzer ging gerne in die Kleinmarkthalle. Dort herrschte eine mediterrane Atmosphäre. In mehreren Sprachen wurde durcheinandergeschrien, und die meisten Gerüche konnten von Herrn Schweitzer nicht eingeordnet werden. Hauptsächlich war er wegen des Lachses hier. Ein deliziöses Lachstartar sollte morgen den Mittelpunkt auf Lauras Geburtstagsbüfett bilden. Da stürzte sich Simon Schweitzer gerne in Unkosten, und der galicische Fischhändler verdiente sich eine goldene Nase.

Schwieriger gestaltete sich die Suche nach der Menora. Zehn Minuten schlich Herr Schweitzer in dem geräumigen Orientalikaladen die Regale entlang. Wasserpfeifen jeder Größe, Kupfer- und Messingteller mir arabischen Schriftzeichen, ägyptische Alabasterkatzen, Schmuckkästchen aus Jordanien, Bastkörbe und allgemeinen Plunder hätte er en gros erstehen können. Aber von siebenarmigen Leuchtern keine Spur. Unsicher wandte er sich mit seinem Anliegen an einen schnauzbärtigen Verkäufer, schließlich hatte er nicht die geringste Ahnung davon, inwieweit es angebracht war, in einem arabischen Laden nach jüdischen Gebrauchsgegenständen zu fragen.

„Eine Menora. Soso. Jaja.“ Die dichten Augenbrauen des Verkäufers zogen sich zusammen. Dann stürmte er voran, und Simon Schweitzer konnte kaum Schritt halten. Ein Slalom durch die ausschließlich arabisch aussehende Kundschaft begann und endete in der hintersten Ecke. Mit einem Teppichmesser öffnete der Verkäufer einen großen Karton und holte tatsächlich eine Menora hervor.

„Hier Freund, für dich, Freundschaftspreis, neunzig Euro.“ Ein Zahnpastareklamelächeln nahm den überwiegenden Teil des Verkäufergesichtes ein.

Das war Wucher, fand Simon Schweitzer. Er orientierte sich dabei an den anderen Preisen im Geschäft. Er hatte noch keinen Artikel gesehen, der teurer als zwanzig Euro kam. „Wieviel würde sie kosten, wenn der Preis schon ausgeschildert wäre?“

Das Lächeln wurde breiter. „Vielleicht fünfzig Euro?“

„Vielleicht zehn?“ konterte Simon Schweitzer nicht ungeschickt.

„Gut. Weil du bist ein Freund des Hauses, vierzig Euro. Letztes Wort.“

Wer gedacht hatte, er hätte nun keinen Trumpf mehr im Ärmel, sah sich getäuscht. Er war mit allen Wassern gewaschen, der Herr Schweitzer. Mit dem rechten Mittelfinger schnippte er gegen die Menora. „Hör. Du willst mir doch nicht sagen, daß so reines Messing klingt.“ Kein Mensch hatte gesagt, daß die Menora aus reinem Messing war, und soviel er wußte, war Messing sowieso bloß eine Legierung. Aber darum ging es ja auch gar nicht. „Wenn da mal nicht jede Menge Aluminium beigemischt ist. Du kannst froh sein, wenn einer fünfzehn dafür gibt."

Der Araber war verblüfft ob seines Kunden Fachwissens. Er selbst besaß keines. Trotzdem schnippte auch er mit dem Finger gegen die Menora und hielt sie sich dicht ans Ohr. Er wollte sich die Musik einer Aluminium-Messing-Legierung einprägen. Es war ein sehr hoher Ton. „Stimmt, Freund. Du hast recht. Gib mir fünfundzwanzig und Allah wird dich weiterhin beschützen."

Das war ein guter Schachzug. Herr Schweitzer konnte nämlich nicht auf Erfahrungswerte zurückgreifen, die ihm verraten hätten, ob Allah ein guter oder ein schlechter Beschützer war. Trotzdem entschloß er sich zum letzten Gefecht. „Hör zu Freund, du hast recht, fünfundzwanzig ist ein guter Preis." Simon Schweitzer hielt die Einkaufstüten aus der Kleinmarkthalle hoch. „Leider hab ich schon mein ganzes Geld ausgegeben. Gerademal zwanzig Euro hab ich noch übrig." Er drehte sich um und strebte Richtung Ausgang. Er hatte die Kasse schon fast erreicht.

„Halt. Stehenbleiben Freund." Das Reklamelächeln hatte zu Simon Schweitzer aufgeschlossen. „Aber nur weil ich hier der Chef bin. Andere dürfen dir hier keinen Rabatt geben. Mach schnell, bevor ich es mir anders überlege."

Zwanzig Euro waren ungefähr das, was er auszugeben bereit war. Er gab dem Verkäufer das Geld, der es in seiner Hosentasche verschwinden ließ. Niemand gab den Betrag in die Kasse ein. Merkwürdige Verkaufspraktiken sind das, dachte Herr Schweitzer und verließ das Geschäft.

Er hatte gerade den Schlüssel in die Wohnungstür gesteckt, da klingelte auch schon das Telefon. Hektisch schloß er auf und nahm den Hörer ab. Es war mal wieder Maria. Sie habe gestern noch eine ertragreiche Kreativphase gehabt. Außerdem käme heute noch Karins Schwester Hannelore aus Delmenhorst für ein paar Tage her, ein wenig Ordnung in die Angelegenheiten zu bringen, und um die notwendigen Schritte für Klaus-Dieters Begräbnis einzuleiten. Karin kam dafür ja nicht in Frage. Und eigentlich hatte sie ja auch nur angerufen, um sich nochmals eine Bestätigung für das Essen bei ihr mit ihm am Sonntag einzuholen. Simon Schweitzer bestätigte, er hatte es nicht vergessen, wie könnte er, ganz im Gegenteil, er freue sich mächtig drauf. Na denn, tschüß.

Herr Schweitzer schaukelte. Es war eine Bewegung einschläfernder Rhythmik. Er wehrte sich nicht wirklich. Eine knappe Stunde hatte er halb dösend, halb schlafend in seinem neuen, quasi maßgeschneiderten Ruhemöbel verbracht, als er erneut das vertraute Dingdong vernahm. Nie hätte er gedacht, daß man es sich in einem Stuhl derart gemütlich machen kann. Dingdong. Er ging zur Tür.

Es waren zwei Männer vom Bundeskriminalamt. Der ältere von beiden hatte den Ausweis gezückt. „Herr Simon Schweitzer?"

„Ja, der bin ich." Sofort war wieder die alte Abwehrhaltung da, ein Reflex aus grauer Vorzeit. Sehr kurz angebunden fragte er: „Was kann ich für Sie tun?"

„Wir würden Sie gerne einen Augenblick sprechen. Wenn wir kurz reinkommen dürften."

Herr Schweitzer säumte und überlegte.

Das dauerte anscheinend zu lange. „Wir können Sie auch auf die Wache bitten, wenn Ihnen das lieber ist", schlug der Ältere freundlich vor.

„Nein, nicht nötig. Kommen Sie doch bitte rein." In Ermangelung eines Wohnzimmers führte Simon Schweitzer die ungebetenen Gäste in die Küche. Er fragte sich, was man wohl von ihm wissen wollen könnte, schließlich hatte er schon vor geraumer Zeit politischen Aktivitäten und Aktionen abgeschworen. Und so sehr er sich auch anstrengte, an einen Raubmord seinerseits konnte er sich partout nicht erinnern. Er bot ihnen einen Platz an. „Möchten Sie etwas trinken? Kaffee vielleicht?"

„Nein danke. Es wird nicht lange dauern."

Das hoffte Simon Schweitzer inständig. „Um was geht es?"

„Um den Tod von Herrn Schwarzbach."

Stille. Herr Schweitzer fühlte durchbohrende Blicke auf sich gerichtet. Er war zwar erstaunt, daß man ausgerechnet ihn dazu befragte, aber es deuchte ihm, so auch nur kurz, daß es in irgendeiner Weise mit der Vergangenheit zu tun haben mußte. Als er das Gefühl hatte, genügend Zeit sei verstrichen, sagte er: „Ich verstehe nicht ganz."

„Sie kannten Herrn Schwarzbach?"

Hatte er also recht gehabt. „Ja, von früher."

Der Jüngere machte sich Notizen, der Ältere sagte: „Genau darum geht es. Wie Sie bestimmt schon gehört haben, wurde der Abgeordnete mit derselben Waffe erschossen wie seinerzeit zwei unserer Kollegen an der Startbahn West." Simon Schweitzer nickte. „Wie gut kannten Sie Schwarzbach? Wir haben gehört, Sie waren befreundet gewesen."

Von wem hatten sie das gehört? Das lag doch jetzt schon einundzwanzig Jahre zurück. Es schien so, als würde ihn die Vergangenheit einholen, dabei war die Erinnerung daran schon recht verblaßt. Seine Sinne waren hellwach, es galt zu verhindern, in eine Falle zu laufen. Und dann kam Herrn Schweitzer ein unangenehmer Gedanke, der ihn erschaudern ließ. Wurde er selbst vielleicht des dreifachen Mordes verdächtigt? Er wollte schon ein auf die Schnelle konstruiertes Alibi herausschreien, aber die Vernunft siegte, und er konnte seine aufflammende Nervosität wieder herunterfahren. „Befreundet ist vielleicht etwas übertrieben. Ich würde eher sagen, wir hatten kurzzeitig dieselben Interessen." Das war wohlfeil und treffend ausgedrückt, fand Simon Schweitzer stolz.

„Das wissen wir. Aber es gab außer den gemeinsamen Protestaktionen ja auch noch andere Berührungspunkte. Zum Beispiel Frau Schwarzbach und Pfarrer Hollerbusch."

Aha, daher weht also der Wind. Denken die vielleicht auch, daß Hollerbusch ... Aber woher wissen die das alles? Hat Karin geplaudert? Herrn Schweitzers Gedanken tanzten wirr im Kopf umher.

„Ja schon. Aber das ist doch alles so lange her."

„Ja, Herr Schweitzer, das ist uns schon klar. Aber sehen Sie, drei Morde wurden im Abstand von einundzwanzig Jahren mit derselben Waffe ausgeübt. Da ist es doch sehr wahrscheinlich, daß derjenige, welcher die ersten beiden Morde verübt hat, auch für den letzten als Täter in Frage kommt. Sie müssen zugeben, daß der Täterkreis mittlerweile doch sehr, sagen wir überschaubar geworden ist. Können Sie uns also etwas über die Beziehung Guntram Hollerbusch und Karin Schwarzbach sagen?"

Die wissen es doch sowieso schon, war sich Herr Schweitzer ziemlich sicher. „Ja. Klaus-Dieter hat dem Hollerbusch damals die Frau, Karin, ausgespannt."

Der Ältere sah den Jüngeren bedeutungsvoll an. „Aha. Und wie hat Pfarrer Hollerbusch reagiert?"

„Gar nicht. Er hat es ignoriert, zumindest nach außen. Damals war er aber noch kein Pfarrer, und außerdem bin ich nicht mal sicher, ob da tatsächlich sexuell was gelaufen war. Ich meine, zwischen Karin und Guntram."

„Herr Schweitzer, wußten Sie, daß Herr Hollerbusch wieder in der Bürgerinitiative tätig ist?"

„Ja."

„Und wußten Sie auch, daß Klaus-Dieter Schwarzbach neuerdings ein großer Befürworter des Flughafenausbaus war?"

„Ja."

„Herr Schweitzer, wir danken Ihnen recht herzlich."

Vor einer halben Stunde waren die Männer vom Bundeskriminalamt gegangen, und Simon Schweitzer saß noch immer am Küchentisch und versuchte, seine Gedanken zu ordnen, was sich sehr schwer gestaltete. Denn alle Fäden führten zu einem Mörder Hollerbusch, und Hollerbusch war kein Mörder. Ganz sicher. Auch zwei weitere Tassen Kaffee brachten ihn da nicht weiter.

Nochmals dreißig Minuten später rief zu Herrn Schweitzers allergrößter Überraschung Guntram Hollerbusch an. Zwei Polizisten vom hiesigen Revier, Funkal und Sanchez, hätten bei ihm vorbeigeschaut und einige seltsame Fragen über ihrer aller Vergangenheit gestellt. Außerdem haben sie gar schrecklich nach Alkohol gestunken, das habe auch die Flutwelle von Rasierwasser nicht kaschieren können. Ob er, Simon Schweitzer, denn nicht mal bei ihm vorbeikommen könne, er mache sich große Sorgen. Sie verabredeten sich für neun Uhr dreißig.

Herr Schweitzer hatte Heißhunger auf einen Leberkäs. Das passierte so alle halbe Jahre mal, und hierfür bot sich eine Apfelweinwirtschaft mit Tradition auf der Textorstraße an, die für ihre Hausmannskost allenthalben große Anerkennung genoß. Der Gästeandrang war nicht so immens wie er erwartet hatte, und dementsprechend zeitig war das Mahl auch beendet. So kam er eine halbe Stunde zu früh bei Pfarrer Hollerbusch an.

Die Abendmesse war noch nicht beendet. Simon Schweitzer setzte sich in die letzte Reihe der Kirchenbänke aus Eichenholz. Durch die bunte Bleiverglasung der gotischen Spitzbogenfenster an den Seitenwänden fiel so viel Licht, daß sich künstlerische Schattenspiele auf dem Steinboden und den Säulen abzeichneten. Von innen wirkte das Kirchenschiff bedeutend größer als es von außen den Anschein hatte. Vielleicht zwanzig einsame Seelen der Gemeinde des Barmherzigen Heilands von Nazareth und Umgebung verloren sich in der Weite des Gelasses. Es gab keine Kanzel. Pfarrer Guntram Hollerbusch stand vorne vor dem Renaissance-Altar in seiner schwarzen Amtstracht und predigte. Herr Schweitzer ging davon aus, daß der Pfarrer sein Kommen bemerkt hatte. Brüderlichkeit und Philanthropie im allgemeinen und in Zeiten zunehmender Angst und Aggressionen war, soweit er das beurteilen konnte, das Thema des heutigen Events. Guntram hatte eine schöne, volltönende Stimme, die selbst in der letzten Reihe noch gut verstanden wurde. Jemand hatte seine Initialen auf die Bibel- und Gesangbuchablage geritzt. Simon Schweitzer schaute sich neugierig um. Religion an sich empfand er als eine Geißel der Menschheit. Wenn er da nur an das Trauerspiel der christlichen Inquisition dachte. Er fühlte sich nicht sonderlich wohl in diesem Gemäuer.

Die Messe war gesungen, die Schäfchen auf dem Weg in die eigenen vier Wände, und Guntram Hollerbusch hatte sich zu ihm in die Bank gesetzt. „Alle Achtung, Herr Pfarrer. Gemütlich hast du es hier."

„Apostel."

„Bitte?"

„In der Gemeinde des Barmherzigen Heilands von Nazareth und Umgebung gibt es keine Pfarrer, das erinnert so an Pfaffen. Wir nennen uns Apostel."

„Apostel Hollerbusch. Ist das richtig so?"

„Genau. Apostel."

Herr Schweitzer hätte gerne gegrinst, und wahrscheinlich hatten einige subordinierte Muskeln dies auch schon in die Wege geleitet, doch er riß sich noch rechtzeitig zusammen. Apostel. Waren das nicht die bacchantischen Langhaarigen auf Jesus' Abschiedsfete? Oder war das jetzt auch wieder Mumpitz? Egal. „Gut. Du hast mich angerufen."

„Ja." Apostel Hollerbusch brauchte zehn Minuten für seine Schilderung des Besuches der zwei Polizeibeamten und der Fragen, die sie ihm gestellt hatten. Außerdem war er noch nach den Plakaten gefragt worden, die am Fundort der Leiche angebracht waren. „Was hältst du davon?"

„Bei mir waren sie auch. Haben mich über Karin und dich ausgefragt." Es war eine Frage des Stils, ebenfalls alles wahrheitsgemäß zu schildern.

Simon Schweitzer beobachtete seinen Banknachbarn sehr

genau. Guntram hatte den Kopf zwischen den eingesackten Schultern begraben und blickte auf seine Schuhe. „Ach so", entfuhr es ihm schließlich.

Ein Ach so war nicht sonderlich viel. Da hatte Herr Schweitzer in Anbetracht der Fährnisse, die nun auf sie zukommen könnten, deutlich mehr erwartet. Oder waren Mörder von Natur aus wortkarg? Er startete einen neuen Versuch: „Ich hab nicht viel er-zählt."

„Da gibt's auch nicht viel zu erzählen."

Na also, das war doch schon mal was. Darauf ließ sich doch aufbauen. „Das mit Karin war also nicht so ...", Simon Schweitzer grübelte, „so ernst."

„Na hör mal. Da war rein gar nichts. Wir haben uns nur gut verstanden, die Karin und ich. Mehr nicht. Das habe ich auch der Polizei erzählt. Ich glaube aber, die wollen mir einen Strick daraus drehen."

Na prima. Herr Schweitzer hatte es doch schon immer gewußt. Ein Apostel konnte nicht gleichzeitig ein Mörder sein, das verbot sich per se. Und wenn Guntram nichts mit Karin hatte, gab es selbstredend auch keinen Grund für eine forcierte Lebensbeendigung Klaus-Dieter Schwarzbachs durch den Apostel.

„Trotzdem. Ich glaube, wir sollten auf der Hut sein. Die haben immerhin einen Mord an einem Politiker aufzuklären. Da ist man etwas hartnäckiger als wenn ein Wermutbruder dem anderen wegen einer Flasche Schnaps eins über die Rübe gibt."

„Apropos Wermutbruder", sagte Guntram, „Ich habe Daniel getroffen."

Simon Schweitzer schüttelte den Kopf. „Daniel?"

„Daniel Fürchtegott Meister. Unser Freund. Jahrelang im Ausland oder sonstwo verschollen. Ich hätte ihn fast nicht wiedererkannt, wie er da als Bettler in der Schweizer Straße auf dem Boden saß. Armer Kerl. Ich habe ihm angeboten, hier im Geräteschuppen zu schlafen, dort steht noch ein altes Bett von meinem Vorgänger. Ich bin mal gespannt, ob er das Angebot annimmt."

„Daniel Fürchtegott, daß der noch mal auftaucht, kaum zu glauben."

„Ja, so ist das Leben. Nichts ist berechenbar. Wir können höchstens versuchen, unseren Mitmenschen mehr Liebe entgegenzubringen und vielleicht ein wenig politische Basisarbeit zu betreiben. Magst du nicht wieder bei uns mitarbeiten?" Er stieß Herrn

Schweitzer auf den Oberarm. „Komm schon. Die Flugzeuge donnern auch über deinen Kopf hinweg."

Wie er seinen alten Weggefährten so sah, mit all seinem Vertrauen in das Hehre im Menschen, wurde Simon Schweitzer ganz melancholisch zumute. Er stand kurz vor einer Kapitulation, letztendlich reichte es aber nur für ein: „Vielleicht. Ich überleg's mir".

„Das ist schön, Simon. Weißt du, die Welt verdient es gerettet zu werden."

Das war schon richtig, aber welche Rolle der Zerstörer Mensch dabei spielen sollte, war dem Herrn Schweitzer mehr als schleierhaft. „Ja. Ich überlege es mir", wiederholte er.

„Magst du ein Glas Meßwein. Wir haben da dieses Mal einen besseren als das Gepansche der letzten Jahre."

„Gerne."

Aus dem einen Glas wurden derer drei, und die Sonne hatte das Himmelsgewölbe schon verlassen, als Simon Schweitzer den Nachhauseweg antrat, ohne daß Daniel Fürchtegott Meister noch erschienen wäre. Einzig das Weinfaß lag noch so ungefähr des Weges, wohin er auch auf ein Schwätzchen mit Bertha noch einkehrte. An Neuigkeiten gab es aber wenige. Lediglich die Information, daß ein Ermittler selbst bei Bertha Erkundigungen über die am Tatort gefundenen Protestplakate einzuholen versucht hatte, besaß einen gewissen übergeordneten Nachrichtenwert. Maria von der Heide war den ganzen Abend nicht aufgekreuzt.

Laura Roth saß seltsam verknotet auf dem Boden ihres Zimmers. Ein Geruch nach Himalaja-Zeder lag in der Luft. Auf Simon Schweitzers fragenden Blick sagte sie: „Ganzheitliches Yoga. Eignet sich vorzüglich zur Entspannung."

Herr Schweitzer fragte sich, inwiefern bei solch komplizierter Akrobatik eine Entspannung möglich war. Der linke Fuß war hinter das rechte Ohr geklemmt, das rechte Bein flach nach vorne ausgestreckt, und seitlich horizontal ausgestreckte Arme dienten der Stabilisation des Gefüges. Er sagte: „Wenn es hilft ...", und ging in die Küche Lindenblütentee kochen.

Mit entrücktem Blick gesellte sich Laura zwanzig Minuten später zu ihm. Offensichtlich hatte das Entspannungsgetue gewirkt. „Nur noch fünf Minuten."

Simon Schweitzer blickte auf die porzellanene Küchenuhr von der Firma Junghans, ein Erbstück seiner Mutter. Fünf vor zwölf.

Da war es schier unmöglich, die Jugendlichkeit seiner Mitbewohnerin über die Zeit zu retten. „Magst du auch einen Tee?"

„Oh ja."

„Ich dachte, du würdest heute mit deinen Freunden feiern." Herr Schweitzer holte eine Tasse und goß ein, derweil Laura aus dem Kühlschrank eine Flasche Mumm extra dry herausnahm und zwei Gläser auf den Tisch stellte.

„Nö."

„Na ja, du feierst ja morgen noch ausgiebig."

Punkt Mitternacht klirrten die Sektgläser. Simon Schweitzer umarmte Laura innig, drückte und knuddelte sie. „Herzlichen Glückwunsch zum Geburtstag und alles Gute."

„Danke."

„Du wirst sehen, dreißig ist gar nicht so schlimm. Schau mich an." Laura lachte. „Warte einen Augenblick." Herr Schweitzer huschte in sein Zimmer und wieder zurück. Dann überreichte er seiner Untermieterin die Menora. Für aufwendiges Geschenkeinpacken war ihm keine Zeit geblieben. Das war auch ganz gut so, denn gewöhnlich sahen die Versuche des Geschenkeinpackens dem Knäuel Papier ähnlich, das gewöhnlich beim Auspacken entsteht.

„Die ist aber schön." Laura kramte aus einer Schublade sieben blaue Haushaltskerzen hervor und steckte sie auf den Leuchter.

Dann verwendete Simon Schweitzer noch einige Mühe darauf, seiner Mitbewohnerin das Leben jenseits der Dreißig in antidepressiven Farben zu schildern. Kurz vor dem Zubettgehen führte er ihr noch seinen neuen Schaukelstuhl vor. Hernach drehte er sich noch einen Kleinstjoint, schaukelte sanft und ließ einige Geschehnisse der letzten Tage Revue passieren, derweil sein Blick über die nächtliche Skyline schweifte.

Herrn Schweitzer offenbarte sich ein weiterer elysischer Morgen. Die Wonne hatte noch dadurch eine Steigerung erfahren, daß weder Tür noch Telefon geklingelt hatten und der Hausherr nach natürlichem Bedürfnisse aufgewacht war. Laura schlief noch, schließlich wollte das Zuwenig an Schlaf nachgeholt werden, welches sich bei Werktätigen während der Woche so ansammelt.

Nachdem sich Simon Schweitzer das Frühstück bereitet und die Zeitung hochgeholt hatte, schlug er nämliche bei den Neuigkeiten des Schwarzbachfalls auf. Zuvörderst wurde der Leserschaft mitgeteilt, daß jene drei jungen Personen, welche die Leiche Schwarzbachs fanden und in ihrer Panik dann türmten, nun endgültig von jedem Verdacht befreit waren. Ein Graphologe hatte sich mit der Schrift beschäftigt, die mit profanem schwarzen Autolack auf das Bettlaken gesprüht worden war. Für diese heiße Spur hatte man nun einige polizeiliche Kräfte gebündelt. Nach dem Urteil des Graphologen war der Schreiber männlich, dreißig- bis vierzigjährig, ordentlich und mit einem Hang zur Selbstdarstellung. Nach Herrn Schweitzers grober Schätzung reduzierte sich damit der Kreis der Tatverdächtigen in Deutschland auf kaum mehr als sechs oder sieben Millionen, da konnte man doch eigentlich schon Sicherheitsverhaftungen vornehmen. Von einem unter Mordverdacht stehenden Apostel Hollerbusch war natürlich keine Rede, was hatte er erwartet? Dafür war man sich jetzt ganz sicher, daß es sich bei der Tatwaffe um eine Mauser P 08 handelte, die bei der Wehrmacht sehr verbreitet gewesen war. Für Herrn Schweitzers Dafürhalten herrschte bei den Ermittlungsbehörden eine große Konfusion. Gesucht wurde, so stellte es sich dar, ein vormals neun- bis neunzehnjähriger Startbahnwestgegner mit einem Hang zur Selbstdarstellung, der zu Wehrmachtszeiten eine Mauser entwendet hatte und im zarten Greisenalter zu einem eiskalten Politikerkiller mutiert war. So wird das nie was, dachte Simon Schweitzer und widmete sich den Weltnachrichten, die aber auch keine Besserung in irgendeiner Hinsicht versprachen.

Sicherheitshalber überprüfte er noch einmal sämtliche Zutaten auf ihre Vollständigkeit, bevor die Geschäfte schlossen. Daran tat Herr Schweitzer gut, denn für den Borani-e-esfanadsch-Salat war nicht mehr genügend Kurkuma vorhanden. Erst ärgerte er sich, daß er nicht gestern schon daran gedacht hatte, aber dann war er doch froh ob seiner peniblen Ader. Das hätte was gegeben, ein Borani-e-esfanadsch-Salat ohne Kurkuma.

Er war schon fast an dem Bettler vorüber, als er sich an Guntrams Worte von gestern erinnerte: Ich hätte ihn fast nicht wiedererkannt, wie er da in der Schweizer Straße auf dem Boden saß. Simon Schweitzer ging noch einige Schritte, dann blieb er vor einem Blumengeschäft stehen. Verstohlen blickte er nach links. Er konnte in dem Bild des Jammers, das sich ihm präsentierte, keinen Daniel Fürchtegott Meister erkennen. Doch die Gestalt starrte ihn unverwandt an. Herr Schweitzer fühlte sich nicht wohl in seiner Haut. War er es oder war er es nicht? Er probierte es mit einem angedeuteten Kopfnicken, welches notfalls auch als ein zufälliges interpretiert werden konnte und ihm somit einen geordneten Rückzug erlauben würde. Das verdreckte Gesicht zwischen den verfilzten Haaren grinste zurück und hob sogar die rechte Hand zum Gruße. Dem Schweitzer-Simon wurde ganz mal au coeur, und zögerlich tat er zwei, drei weitere Schritte. Noch immer war das Erkennen im Entwicklungsstadium, immerhin waren ja zwei Dekaden seit der letzten Begegnung vergangen. Aber die Augen. „Daniel?"

„Mensch Simon, endlich."

Die Stimme war dieselbe. „Du bist es tatsächlich, Daniel Fürchtegott Meister." Aber weiter wußte er nicht. Was sollte man auch sagen? Sein Freund von früher war ein Schatten seiner Selbst, offensichtlich siech an Leib und Seele.

„Natürlich bin ich es, wer sollte ich denn sonst sein? Zwei Mal hast du mir die letzten Tage eine kleine Gabe in den Becher geworfen."

„Ja, aber warum hast du denn nichts gesagt?"

„Ach, weißt du, den meisten Leuten ist es peinlich, mich zu erkennen oder von mir angesprochen zu werden. Ich bin wohl niemand mehr, mit dem man gesehen werden will."

„Guntram hat mir gestern erzählt, daß du wieder da bist."

„Ja, der Guntram, die treue Seele, hat mir sogar einen Schlafplatz angeboten, aber weißt du, nach all den Jahren auf Platte, da brauchst du so was höchstens mal im Winter." Daniel nahm den Kaffeebecher und schätzte den Inhalt auf seinen Wert. „Reicht noch nicht. Ansonsten hätte ich dich auf einen Kaffee eingeladen. Ich kann dir höchstens einen Schluck aus meiner Pulle anbieten." Er griff unter den fettfleckigen Armeeschlafsack und holte eine in Zeitungspapier eingewickelte Flasche hervor.

„Laß mal." Herr Schweitzer schaute auf seine Armbanduhr. Es war um die zwölfte Stunde, und er hatte noch etwas Zeit. Aber nicht viel, der Salate wegen. „Aber ich möchte dich einladen. Wo pflegst du deinen Kaffee zu trinken?"

„Da vorne ist ein Wasserhäuschen. Die verlangen nur sechzig Cent pro Becher. Meinen Wein kaufe ich aber woanders. Ohne Wein ist kein Sein."

Simon Schweitzer grinste. Ansatzweise hatte sich die alte

Vertraulichkeit zwischen ihnen wieder eingestellt. Obwohl der Dreck ihn anekelte, nahm er ohne Zögern den einst grünen Schlafsack auf. Er sah aber zu, daß nur sein Jutebeutel das Hosenbein berührte, wobei er aber den Arm etwas abwinkeln mußte, was ihn sehr anstrengte.

Man setzte sich mit dem Kaffee auf eine Bank in einem Schulhof gegenüber des Wasserhäuschens. Wegen der Schulferien herrschte ungewohnte Ruhe. Eine Linde spendete angenehmen Schatten. Zwei Gärtner des Städtischen Gartenbauamtes beschäftigten sich mit einer schadhaften Ligusterhecke.

„Ja Daniel, jetzt erzähl mal, wie es dir die ganzen Jahre so ergangen ist. Das letzte, was ich von dir gehört habe, stammte von einer Postkarte aus Italien."

„Das ist schon nicht mehr wahr, das alles." Daniel Fürchtegott schlürfte an dem heißen Getränk, und dann erzählte er. Wie er die Schnauze gestrichen voll hatte von diesem Lande. Von der Sinnlosigkeit des Widerstandes, von der Kälte im zwischenmenschlichen Bereich. Und wie er gehofft hatte, in Bella Italia ein neues Glück zu finden, in dem Land, wo die Zitronen blühen, wo man als Anarchist Mensch war und wo die Roten Brigaden eine baldige Wende zum Nochbesseren verhießen. Es hatte sich auch ganz gut angelassen. Er, Daniel, hatte in Umbrien als Olivenarbeiter ein Auskommen gefunden, er beherrschte alles rund um die Olive, von der Ernte bis zur Kaltpressung. Italienisch, mein Gott, du glaubst gar nicht wie einfach das ist. La mia maccina e stata forzata. Und die Bürokratie erst, nie hatte man seinen Ausweis sehen wollen. Von einer Aufenthaltserlaubnis gar nicht erst zu sprechen. Das mußt du dir mal vorstellen, ein Mensch ohne Papiere bleibt ein Mensch. Unvorstellbar so was, hier. Ja, und so ging das fünfzehn Jahre. Deutschland war ein fernes Gebiet jenseits der Alpen. Und Frauengeschichten. Frauen, sag ich dir, bellissima. Kurz vor der Verlobung habe er gestanden, aber das geht selbst in Italien nicht ohne Papiere. Und dann kam der Olivenölskandal. Ein paar Gierhälse hatten der schnellen Lira wegen Motorenöl untergemischt. Ein paar Menschen starben, der Export geriet ins Stocken und Daniels Arbeitgeber mußte entlassen. Er, der Tedesco, war natürlich auch darunter. Na ja, und dann hat er es sich auch selbst versaut, trank zuviel, konnte die paar Lire für seine billige Bleibe nicht aufbringen, und bettelte schließlich in Rom die Touristen an der Spanischen Treppe um ein paar Almosen an. Aber wegen der allgemeinen Wirtschaftskrise der letzten Jahre gab es plötzlich der Bettler mehr und der Almosen weniger. Da habe er sich gedacht, vielleicht sind die reichen Deutschen da etwas großzügiger, und deswegen sei er wieder hier. Aber er hatte fest vor, nächstes Jahr wieder nach Italien zu gehen, er werde dann bestimmt wieder Arbeit finden. „Ja, so ist das."

Ja, so ist das, dachte auch Herr Schweitzer. Nicht viel war geblieben von der einstigen Speerspitze kritischer Aufgeklärtheit und von den Apologeten der einzig wahren Demokratie, für die sie sich alle gehalten hatten. Das System ward nicht durcheinandergebracht, und vom Leben war man allgemein ernüchtert. Klaus-Dieter Schwarzbach war ein totes Arschloch, Daniel Fürchtegott Meister eine gescheiterte Existenz, und er selbst war politisch gesehen ein Nichtsnutz. Nur Guntram Hollerbusch hielt die Fahne der Humanität hoch, wurde aber des Mordes an dem toten Arschloch verdächtigt. „Weißt du noch, früher ..."

„Ja, früher ...", Daniel Fürchtegott zerknüllte den Pappbecher, „da war es auch nicht besser. Das meinen wir bloß."

„Du hast recht."

„Ich muß jetzt wieder ..." Simon Schweitzer machte ein fragendes Gesicht. „Na ja, ich brauch noch ein bißchen Kohle, damit ich mir morgen meine Flasche Fusel leisten kann."

Herr Schweitzer blickte auf die Uhr und zog aus seinem Portemonnaie einen Zwanzigeuroschein hervor. „Hier, nimm. Ich muß jetzt leider gehen, meine Mitbewohnerin hat heute Geburtstag, und ich mach einen auf Kaltmamsell."

„Danke dir." Daniel Fürchtegott nahm den Schein entgegen. „Und richte deiner Mitbewohnerin herzliche Glückwünsche von mir aus. Kochst du immer noch so gut?"

„Besser, Daniel. Wie lange bleibst du noch in Frankfurt?"

„Bestimmt noch ein paar Monate. Die Geschäfte laufen hier ganz gut."

„Dann sehen wir uns bestimmt noch."

„Bestimmt."

Sie erhoben sich von der Bank. Etwas verlegen gaben sie sich zum Abschied die Hand.

„Mach's gut."

„Du auch."

Jetzt galt es aber, sich zu sputen. Laura hatte in der Zwischenzeit gefrühstückt. Herr Schweitzer legte mehrere Rezepte auf den

Tisch und überflog nochmals deren Inhalt. Dann leierte er einige jetzt gleich auszuführende Tätigkeiten wie Nudelkochen, Wasser für Reis aufsetzen und Kartoffelschälen herunter. Seine Mitbewohnerin entschied sich einstweilen fürs Kartoffelschälen, da konnte nicht so viel schiefgehen.

Nach etwa einer Stunde des gemeinschaftlichen Putzens, Schälens, Pressens und Kleinschnippelns kam Simon Schweitzer ein Gedanke. „Du, sag mal, hast du was dagegen, wenn heute abend auch eine Freundin von mir kommt. Ich glaube, es ist genug zu essen da."

„Du hast eine Freundin? Seit wann? Komm erzähl."

„Nein. Sie ist nicht meine Freundin, sie ist nur eine Freundin. Also?"

„Na klar, ich wollte schon immer mal sehen, auf was für einen Typ Frau du abfährst."

Herr Schweitzer war sich nicht sicher, ob er gerade auf die Schippe genommen wurde. Aber er war froh, daß sich seine Mitbewohnerin in einer ihrer seltenen Phasen der Unkompliziertheit befand. Außerdem hatte er sich die Frage nach dem Frauentyp, auf den er stand, auch schon sehr, sehr oft selbst gestellt. Eigentlich war er diesbezüglich eher bescheiden. Klug mußten sie sein und toll aussehen, das war's. Nun ja, ein klein wenig Vergötterung und Bewunderung für ihn und seinen Geist waren der Sache sehr förderlich und erleichterten den Frauen den Zugang zu ihm. Das war sowieso klar.

Um einen nicht allzu aufgewühlten Eindruck zu erwecken, achtelte er die Tomaten in aller, wenn auch nur erzwungener, Gemütsruhe zu Ende, und schob sie in eine der vielen Salatschüsseln auf der Arbeitsplatte. Dann bewegte er sich zum Telefon, wählte Marias Nummer und lud sie zur Party ein. Sie war da, sagte zu und erkundigte sich nach einem geeigneten Geburtstagsgeschenk. Ach, irgendwas halt, lautete Simon Schweitzers präzise Antwort. Frohlockend schwebte er wieder in die Küche, einzig die Gravitation hielt ihn am Boden.

Im Laufe des Nachmittags gingen noch zwei Anrufe ein. Bei dem ersten handelte es sich um eine Absage, irgend jemandes Kind war erkrankt. Der zweite war Apostel Hollerbusch, der Herrn Schweitzer empört mitteilte, daß man ihm heute die Fingerabdrücke abgenommen habe. Unverschämtheit, so was.

Gegen neunzehn Uhr war das Tageswerk verrichtet, das opulente Salatbüfett schmückte vielfarbig den Küchentisch, und Simon Schweitzers Finger waren von den Radieschen rot und vom Kukuma gelb gefärbt. So blieb noch eine Stunde bis zum Partybeginn, um sich auf Vordermann zu bringen. Und die wurde auch trefflich genutzt.

Simon Schweitzer erstrahlte im Glanze der neuen Jeans und seines frisch gewaschenen weißen Hemdes mit der bordürten Knopfleiste, und Laura brillierte mit einem trägerlosen pensee Kleid, welches beidseitig fast bis zur untersten Rippe des Brustkorbes geschlitzt war, was darauf schließen ließ, daß auch Männer eingeladen waren und sie sich mit aller Macht auf den hart umkämpften Single-Markt werfen wollte. Selbst in diesem Alter noch.

Als erste kamen Punkt acht zwei vom feinsten gekleidete junge Herren mit viel Pomade im Haar, die Herrn Schweitzer von Laura als ihre Arbeitgeber vorgestellt wurden. Sie legten von Anbeginn an recht viel theatralische Galanterie an den Tag und wurden von Simon Schweitzer vollkommen zu recht dem anderen Ufer zugeordnet. Folgerichtig kamen sie als Grund für Lauras luftigen und fleischbeschaulichen Aufzug nicht in Frage. Ihr Händedruck respektive ihre hauchzarten Handberührungen jagten Herrn Schweitzer einen Schauer den Rücken herunter. Der Gute war leicht überfordert. Ganz Klischee überreichten sie dem Geburtstagskind einen Strauß roter Rosen und eine Compactdisc berühmter Opernarien. Otto und Benedikt, so die Namen der beiden Verzauberten, wurden von Laura in Sachen Getränkestandort und Salaltbüfett instruiert und dann in ihr Zimmer geleitet, welches zusammen mit der Küche als Hauptaustragungsort der Feierlichkeiten gedacht war. In Absprache mit seiner Mitbewohnerin hatte Simon Schweitzer sein Zimmer abgeschlossen. Sonst erfreute sich zu später Stunde noch jemand mit voller Birne an seinem funkelnagelneuen Schaukelstuhl und demolierte selbigen womöglich. Nein, das kam nicht in die Tüte.

Die nächsten drei Gäste kamen getrennt und waren weiblichen Sexus'. Gegen halber neun wurde Herr Schweitzer langsam unruhig, schließlich ließ seine Angebetete auf sich warten. Beim nächsten Klingelzeichen glaubte er in der Folge der Klingeltöne die Handschrift Marias zu erkennen, was natürlich barer Unsinn war. Ein sonnengebräunter Latinlover kam die Treppe herauf und wurde von Simon Schweitzer distanziert und von Laura enthusiastisch begrüßt. Möglicherweise der Quell all ihrer erotischen Ambitionen, überlegte Simon Schweitzer. Er verspürte eine spontane Abneigung gegen diesen Elegant, was aber ganz allgemein auch auf den Instinkt der Revierverteidigung zurückführbar war.

Und dann kam Maria von der Heide. Potztausend, war alles, was Herrn Schweitzer ob dieser Erscheinung atemberaubenden Liebreizes so einfiel. Eine nicht wirklich bis zum letzten Knopf geschlossene gesmokte Bluse, ein knielanger, schwarzer Seidenrock samt roter Kosakenschärpe und schwarze Stiefeletten hielten ihn in Bann. Er war drauf und dran sich zu expektorieren. Nur ein vages Gefühl von Unschicklichkeit hinderte ihn daran.

In der rechten Hand hielt Maria einen kleinen Strauß gelber und roter Tulpen und in der linken ein eingepacktes Geschenk in der Größe eines Schulatlanten. „Hallo Simon."

„Hallo Maria. Toll siehst du aus." Immens loderte die Glut der Liebe. Über die weitere Vorgehensweise war sich Herr Schweitzer allerdings uneins, denn es fehlte Laura. „Äh, komm doch rein." Er trat einen Schritt zurück. Trotz des räumlichen Ausweichmanövers bekam er blitzschnell einen Kuß auf die Backe.

„Wo ist denn das Geburtstagskind?"

Das fragte sich Simon Schweitzer auch. „Komm mit." Er ging voraus und seine Göttin der Anmut folgte ihm. Aus Lauras Zimmer vernahm er ihre Stimme. „Hier rein."

„Wenn ich vorstellen darf", er deutete auf Laura, „Laura", und dann auf Maria, „Maria."

„Grüß dich. Schön, dich kennenzulernen."

„Die Freude ist ganz bei mir", erwiderte Maria und überreichte Blumen und Geschenk.

„Oh danke. Das ist aber lieb von dir." Herr Schweitzer war ein wenig erstaunt, wie kordial die Damen, die sich bisher ja nicht gekannt hatten, miteinander umgingen.

Dann stellte Laura Maria den schon anwesenden Gästen vor, wobei sich der Schönling für Simon Schweitzers Geschmack zu sehr gerierte. Außerdem hieß er auch noch Claudio. Wie peinlich. Die Tulpen fanden Platz in einem Weizenglas. „In der Küche steht Speis und Trank. Simon hat sich mit der Salatbar mächtig ins Zeug gelegt."

„Ja, echt klasse", bestätigte Benedikt oder Otto mit vollem Mund. Simon Schweitzer war sich bei der Zuordnung der Namen nicht mehr sicher.

„Komm, ich zeig's dir." Herr Schweitzer streckte instinktiv die Hand aus, und Maria ergriff sie. Er war ein wenig über die eigene Courage erstaunt, aber es ist ja noch mal alles gut gegangen.

„Die ganzen Salate hast du gemacht?"

„Na ja", druckste Simon Schweitzer ein bißchen herum, „Laura hat mir geholfen."

„Das sieht ja lecker aus. Ob man da einen Teller verschiedener Delikatessen zusammenstellen könnte?"

„Klar, mach ich dir." Herr Schweitzer war die Aufmerksamkeit selbst. Eifrig schaufelte er je einen Löffel auf einen geblümten Porzellanteller. Was tat man doch nicht alles behufs der Minne.

Auch Simon Schweitzer belud sich einen Teller, und dann ging man gemeinsam zu den anderen. In der Zwischenzeit hatten sich noch zwei Pärchen eingefunden. Die Stereoanlage dudelte etwas Vorderorientalisches, eine Oud bestimmte den Melodienlauf. Laura saß auf einem kleinen in Pastelltönen gehaltenen Läufer im Apache-Design und packte Geschenke aus. Als Sitzgelegenheiten benutzten Maria und Simon Schweitzer zwei umgedrehte Bierkästen. Die Menora stand auf der Fensterbank.

„Ach, ist das schön." Laura hatte Marias Geschenk ausgepackt. Herr Schweitzer reckte den Hals, um besser sehen zu können. Es handelte sich um einen Fotoband mit Werbepostern aus den Siebzigern, passend zu Lauras Geburtsjahr, aufgeschlagen bei einer Waschmittelreklame, die eine bis zum Horizont gespannte Wäscheleine weißer Bettlaken zeigte. Simon Schweitzer, der den Schriftzug nicht entziffern konnte, tippte auf Weißer Riese. Es sei erwähnt, daß er seiner Angebeteten wegen des erlesenen Geburtstagsgeschenks einen ausgesuchten Geschmack attestierte, der hier aber nur mal nebenbei bekräftigt worden war, hatte Maria ihren Sinn für Ästhetik ja schon insofern unter Beweis gestellt, als daß sie ihn anhimmelte. Meinte Herr Schweitzer.

Was die Sozialisation des Homo sapiens und das sich daraus ergebende Verhalten in der Gruppe anging, hielt sich Simon Schweitzer für einen Experten von Format. Interessiert beobachtete er, wie die drei Mädels ohne männliche Begleitung die beiden Verzauberten Otto und Benedikt in Beschlag nahmen. Die angewandte Gestik der drei legte den Schluß nahe, daß es sich um Balzverhalten handelte. Oh je, das kann ja heiter werden, dachte Herr Schweitzer. Die zwei Pärchen unterhielten sich untereinander, und Laura war sehr um den Schönling Claudio bemüht.

Soweit die momentane Konstellation.

„Magst du auch ein Bier?“

„Ja, gerne.“ Simon Schweitzer nahm die Teller und ging in die Küche.

Kurz darauf kam er mit zwei Flaschen einer kürzlich wegen Dilettantismus des Vorstandes pleite gegangenen Frankfurter Traditionsbrauerei wieder. Auch hatte er einen Briefumschlag dabei, den er Maria reichte. „Hier. Das restliche Geld von Karin Schwarzbach. Sie hatte es meinem Schwager, der ist Detektiv, als Bezahlung für die Suche nach ihrem Mann gegeben.“ Herr Schweitzer setzte sich auch auf den Boden, der Bierkasten drückte zu stark ins reichlich vorhandene Sitzfleisch, und außerdem gab man sich dadurch cooler. Das war als ausgleichendes Element wichtig, gleichsam man auch eindeutig nicht mehr zu den Jüngsten gehörte.

„Bist du auch Detektiv?“

Was war denn das für eine Frage? Sah er vielleicht so aus? „Nein. Ab und zu mach ich ein paar Botengänge für Hans“, spielte Simon Schweitzer die Sache raffiniert herunter.

„Aber von irgendwas mußt du doch leben“, bohrte Maria weiter.

Er fühlte sich ein wenig unwohl, aber es leuchtete ihm auch ein, daß Maria schließlich ein Recht hatte, sich zu erkundigen, mit wem sie sich da einließ. „Mieteinnahmen“, Herr Schweitzer nickte mit dem Kopf Richtung Untermieterin, „und festangelegtes Geld aus horrenden Aktiengewinnen mit einer Chipfirma aus dem Silicon Valley.“ Wenn er mal keine großartige Partie war. Mit ein bißchen Fantasie ließ sich daraus doch eine Beziehung machen.

Maria ließ nicht locker: „Du kennst dich an der Börse aus?“

Er lachte. „Nein. Nicht die Spur. Ein Freund von mir hat mir mal was empfohlen. Ist schon länger her.“

„Kann dein Freund mir auch mal einen Tip geben?“

„Geht nicht. Er ist tot. Selbstmord.“

„Oh. Warum?“

„Hat sein ganzes Geld mit Warentermingeschäften verspekuliert. Wie so viele andere auch. Aber er hatte Frau und Kind zu ernähren.“

„Da bringt man sich doch nicht einfach um.“ Und nach einer Weile fügte sie hinzu: „Entschuldigung. Das war taktlos von mir. Du magst bestimmt nicht daran erinnert werden.“

Simon Schweitzer winkte ab. „Schon gut. So ein richtiger Freund war er auch nicht, eher ein entfernter Bekannter."

Kurze Pause.

Ende der kurzen Pause.

Maria: „Karins Schwester ist da."

„Ja, ich weiß. Hast du mir gestern erzählt."

„Sie hat mir gesagt, daß man jetzt auch gegen Karin ermittelt. Das ist doch grotesk."

Das war es allerdings, aber nicht für Simon Schweitzer. „Wundert mich überhaupt nicht." Eigentlich wollte Herr Schweitzer jetzt sagen, daß die Polizei sogar einen Sachsenhäuser Apostel in Verdacht habe, aber das hätte nur zu weiteren Erklärungen genötigt. Wegen des Ausdrucks Apostel. Mit Bravour meisterte er diesen Stolperstein: „Man ermittelt sogar gegen einen Pfarrer aus Sachsenhausen. Selbst mich hat man schon vernommen."

„Dich?"

„Ja, mich." Mannhaft machte Simon Schweitzer eine wegwerfende Bewegung, gerade so, als lasse ihn das völlig kalt. „Aber das juckt mich nicht. Die können mir gar nichts."

Maria versank ins Schweigen.

Selbiges wurde von Simon Schweitzer kurz darauf unterbrochen: „Aber in Zeiten wie diesen mußt du mit allem rechnen. Und schließlich, irgendwer muß ja der Mörder sein."

„Ja, aber doch nicht Karin", empörte sich Maria.

Und was ist mit ihm? Zog sie einen Massenmörder Schweitzer in Betracht? „Und was ist mit mir?"

„Du doch auch nicht." Maria tätschelte seinen Oberschenkel und wechselte das Thema. „Schöne Grüße von Babsi übrigens."

Babsi? Ach du heiliger Bimbam, wer war Babsi? Dumpf erinnerte er sich daran, den Namen schon mal gehört zu haben. „Babsi?"

„Na, Karins Nichte, Hannelores Tochter. Letztes Wochenende im Frühzecher. Hat der Herr Gedächtnisprobleme? Ausdrücklich soll ich den lustigen älteren Herrn Simon grüßen. So stand es auf der Postkarte aus Bay City."

„Natürlich, Karins Nichte, Hannelores Tochter Babsi. Letztes Wochenende im Frühzecher. Ich bin doch nicht blöd. Aber ein älterer Herr bin ich trotzdem nicht. Lustig, vielleicht."

„Aber du hast dich doch ganz gut gehalten." Erneut tätschelte sie seinen Oberschenkel. „Schau mal“, Maria deutete auf das Fenster, „ist das nicht schön?“

Sie standen auf und traten an die Fensterbank. Die Sonne ging gerade unter und hinterließ im Westen eine Orgie aus Rot und Orange. Man öffnete das Fenster um besser sehen zu können. Die prächtige Farbkomposition bewirkte bei Herrn Schweitzer einen erhöhten Euphorisierungsgrad. Das wiederum hatte zur Folge, daß er einiges wagte und seine Hand auf Marias Schulter legte, was auch umgehend mit einem Anlehnen an seine Brust erwidert wurde. Ihm ward ganz warm ums Herz.

Nun standen auch die anderen auf, das Naturschauspiel gebührend zu bewundern. Otto und Benedikt schienen in Sachen Romantik sehr bewandert zu sein und verglichen die Pracht der Farben mit Gemälden Paul Gauguins. In der Tat gemahnte das Szenario an Südseeträume.

Mindestens eines der herrenlosen Mädels hatte mittlerweile die sexuellen Begierden Ottos und Benedikts durchschaut und war wegen Claudio zu Laura in Konkurrenz getreten. Das war natürlich nur einem sehr sensiblen Beobachter wie Herrn Schweitzer zugänglich. Diese Sensibilität, seien wir ehrlich, war aber auch darauf zurückzuführen, daß er hier eigentlich der Platzhirsch war und dem allgemeinen Sittenverfall sowieso sehr ablehnend gegenüberstand. Im übrigen glaubte er, daß dieser Schönling Claudio, dessen zerebrale Genese vor vielen Jahren ins Stocken geraten sein mußte, in seinen eigenen vier Wänden die Hauskatze sadomisierte und auch ansonsten keinerlei Moralkodex kannte.

Das letzte Orangerot war in der Dunkelheit aufgegangen, und die Musik hatte geendet. Einige holten sich sehr zu Simon Schweitzers Wohlwollen Nachschlag an der Salatbar. Laura legte Pop auf. Ein weiterer männlicher Gast erschien und entschuldigte sich bei Laura gestenreich für seine Verspätung, das sei sonst nicht seine Art. Als Geschenk hatte er einen schwarzen Fußhocker aus Nappaleder und Kirschholz überreicht, der ob seiner Eleganz sehr viel Anklang fand. Nach und nach hatten auch die beiden anderen Mädels geschnallt, daß Otto und Benedikt irgendwie anders waren und auf ihr gemeinhin erotisierendes Getue so überhaupt nicht eingingen. Es gestalteten sich neue Gruppierungen. Nur Maria und Simon Schweitzer schwänzelten ständig umeinander. Selbst Laura hatte von dem pomadenhaarigen Kasper abgelassen und kümmerte sich endlich auch um andere Gäste.

Später, zur mitternächtlichen Stunde, wurde ein Gassenhauer nach dem anderen aufgelegt und das Volk begann, erst zögerlich, doch dann immer wilder, in der Mitte von Lauras Zimmer abzuhotten. Jene, die sich noch unterhalten wollten, waren vor der Lautstärke in die Küche geflohen. So auch Maria und Simon Schweitzer, wobei erstere auf des zweiteren Schoß saß, doch zu weiterem war man noch nicht übergegangen, auch wenn Otto und Benedikt mit ihrem Liebesgeflüster und Abgegrapsche dazu geradewegs inspirierten. Aber Herr Schweitzer täuschte ein Muster an Wohlerzogenheit vor, obwohl seine Hintergedanken eine gänzlich andere Richtung eingeschlagen hatten. Er legte sich gerade den weiteren Modus operandi bezüglich Maria zurecht, als ein Joint die Runde machte. Er hatte nicht gesehen, wer ihn gedreht hatte. Plötzlich war er da, aus dem Nichts. Simon Schweitzer nahm ihn entgegen, befeuchtete mit ein wenig Spucke fachmännisch den oberen Rand und hielt ihn Maria hin, da er nicht wußte, wie seines Liebchens Meinung zum Drogenkonsum im allgemeinen ausfiel, und wie sie auf ein Konsumieren seinerseits reagieren würde. Aber es gestaltete sich wieder einmal einfacher als er gedacht hatte. Maria nahm einen kleinen Zug, und damit hatte sich das Problem erledigt. Simon Schweitzer hielt es für geboten, sich ebenfalls mit einem kleinen Zug zu begnügen, obzwar er gerne ausschweifender inhaliert hätte. Ja, es gelüstete ihn geradezu danach. Doch als Erzpfiffikus verschob er dies auf später. Der Wahrnehmung beraubte Sinne würden ihn in der Liebesangelegenheit auch nicht weiterbringen.

„Hast du Lust auf einen Spaziergang?“ fragte Herr Schweitzer unvermittelt. Sein heutiges Horoskop hatte ihm Erfolg bei Eigeninitiative versprochen.

„Natürlich, Simon. Tolle Idee.“

Es war eine lauschige Nacht, wie geschaffen zum Lustwandeln. Die Quecksilbersäule stand bei moderaten fünfundzwanzig Grad Celsius. Hand in Hand ging man zum Main und durchschritt Lichtkegel um Lichtkegel der heimeligen Straßenlaternen. Am Schaumainkai wurde man fast Opfer eines außergewöhnlichen samstagnachtfiebrigen Verkehrsrowdys. Rentner 2002 hatte auf der Heckscheibe gestanden. Das war halt das Leben mit all seinen Begleiterscheinungen. An der Uferpromenade stellte man fest, daß noch mehr Pärchen das mediterrane Klima für einen Spaziergang nutzten. Und wo viele der Romantik frönten, war selbige bald abgenutzt. Gewieft dirigierte er Maria zur hübsch illuminierten Dreikönigskirche. Man setzte sich auf die Seitentreppen des vom Dombaumeister Denzinger in der zweiten Hälfte des neunzehnten Jahrhunderts erbauten Sakralbaus. Linker Hand befand sich der klassizistische Pumpenbrunnen mit den Heiligen Drei Königen auf der Spitze. Hier, wo einst Löher ihre Felle und Häute gegerbt hatten, war man abseits des Getümmels.

„Weißt du, daß ich dich ganz schön gern hab?" eröffnete Maria von der Heide den nun folgenden zweistündigen Flirt, bei dem man sich sehr nahe kommen sollte. Alles lief nach Herrn Schweitzers Plan, gleichwohl er eigentlich von Maria ausgeheckt worden war. Sie waren doch recht kongruent, die Pläne der beiden. Allerdings wollte man es der Begierde zum Trotz auch nicht zu weit treiben, da ja morgen noch ein Candlelightdinner ausstand, bei dem dann kulminieren konnte, was kulminieren wollte.

So brachte Herr Schweitzer später seine Angebetete noch zum Taxistand am Lokalbahnhof, wo man sich liebevoll verabschiedete.

„Nur immer rangehen. Genau Simon, du alter Lustmolch", schrie die dicke Gertrud, an die er so überhaupt nicht gedacht hatte. Stinkbesoffen hing sie auf der Bank an der Bushaltestelle. Er ignorierte sie.

Die Party lag in den letzten Zügen als Herr Schweitzer nach Hause kam. Lediglich Laura, ein Heteropärchen und eins der herrenlosen Mädels saßen in der Küche um den Tisch und hatten sich in Hitze geredet. Herr Schweitzer war sehr froh, den Geck Claudio absent zu wissen.

Er ging in sein Zimmer, holte die Blubber und das Dope aus dem Tal von Baalbek und gesellte sich wieder zu den anderen. Zweimal machte die Wasserpfeife noch die Runde, und eine halbe Stunde später löste sich die Restparty in Wohlgefallen auf. Simon Schweitzers Einschlafthema drehte sich um Maria von der Heide. Um nichts anderes.

Es war ein sonnenüberfluteter Spätmorgen. Herr Schweitzer benötigte mehrere Versuche, um zweifelsfrei wach zu sein und seinem Herzen am Tage des Herrn nicht allzuviel Schwerstarbeit zuzumuten. Sonst hauchte man ja beim Aufstehen noch seine Seele aus und bekam es noch nicht mal richtig mit. Vom Flur drangen Geräusche durch die Tür, Laura war also schon auf.

Simon Schweitzer setzte sich auf und betrachtete seine Fußnägel, die dringend einer Kürzung bedurften. Ungelenk führte er einen Fuß zur Geruchsprobe in die Nähe der Nase. Schließlich schrieb man ja den Tag des alles entscheidenden Candlelightdinners, da wollte er sich von seiner besten Seite präsentieren. Und Fußschweiß konnte da sehr hinderlich sein. Aber es konnte Entwarnung gegeben werden, seine Füße stanken nicht. Und außerdem stand sowieso noch eine Ganzkörperpflege auf dem Programm.

Laura schleppte gerade einen Bierkasten mit Leergut zur Wohnungstür, als Simon Schweitzer den Flur betrat.

„Morgen“ und „Morgen“, muffelte man sich entgegen.

Herr Schweitzer ging in die schon picobello aufgeräumte Küche und bediente sich an der randvollen Kaffeemaschine. Hunger hatte er noch keinen, aber der Vitamine wegen würgte er einen Apfel runter. Er verspürte keine Lust, ans Wasserhäuschen zu laufen und sich eine Sonntagszeitung zu kaufen, wie es Brauch und Sitte war. Statt dessen begnügte er sich mit dem gestrigen Feuilleton seiner Hauspostille. Ein Spatz setzte sich auf die Fensterbank, grüßte tschilpend, legte den Kopf schief als bedenke er den Kücheninhalt samt Simon Schweitzer, tschilpte nochmals und empfahl sich.

Zur zweiten Tasse setzte sich seine Mitbewohnerin zu ihm.

„Na, gut geschlafen?“ fragte er heiter.

„Geht so. Aber ich habe gelesen, daß alte Menschen mit weniger Schlaf auskommen“, versuchte Laura sich angesichts des vollendeten dritten Lebensjahrzehnts in Galgenhumor.

„Das würde ich so nicht sagen. Sieh mich an, unter acht Stunden läuft da nichts.“

„Dann besteht ja noch Hoffnung.“

„Wer war eigentlich dieser ...“, Simon Schweitzer wollte schon Schönling sagen, überlegte es sich aber anders, „dieser Claudio?“

„Ach, bloß ein Kunde, der am Freitag zufällig ins Büro kam. Ein eingebildeter Fratzke.“

Gut so. Ihm fiel ein Stein vom Herzen. Herr Schweitzer war sich eigentlich sicher, Laura richtig eingeschätzt zu haben, aber beim weiblichen Geschlecht blieb erfahrungsgemäß immer ein Restzweifel zurück. Zumal in Extremsituationen wie Torschlußpanik. „Genau, ein eingebildeter Fratzke. Treffender kann man diesen Claudio nicht beschreiben.“ Um ein wenig von der Misanthropie abzurücken, fügte er hinzu: „Aber die anderen waren echt sympathisch."

So ging das noch zehn Minuten. Laura erläuterte Simon Schweitzer ihre Beziehung zu den jeweiligen Gästen, Herr Schweitzer hörte aufmerksam zu und gab den ein und anderen Kommentar ab.

„Aber deine Maria ist auch nicht ohne. Ich glaube, sie will was von dir. „So, wie die dich angeguckt hat."

Der abrupte Themawechsel hatte ihn auf dem falschen Fuß erwischt. „Ja, äh, soweit sind wir aber noch nicht. Vielleicht morgen."

„Morgen?"

„Nun, äh, Maria hat mich für heute abend zum Essen eingeladen."

„Na, dann ist ja alles paletti. Du darfst dich jetzt nur nicht mehr blöd anstellen."

So einfach ist das also heutzutage, nur nicht blöd anstellen. Man hat schon Pferde vor der Apotheke kotzen sehen, dachte Herr Schweitzer. „Ich werde mir Mühe geben."

Er hatte sich gerade die Zähne geputzt und wollte in die mit Schaumbad lockende Badewanne steigen, als es an der Tür klingelte.

Es war das Auge des Gesetzes in der Person Funkals. „Tag Simon." POM Frederik Funkal war es offensichtlich peinlich. Er wußte nicht wohin mit seinem Dienstausweis. Er fand es affig, sich seinem Kneipenkumpanen den Vorschriften gemäß vorzustellen und auszuweisen.

An der grün-beigen Uniform erkannte Herr Schweitzer, daß es dienstlich war. „Was führt dich her?" erlöste er den Polizisten aus seinem Dilemma.

„Tja, ich soll dich zu einer Vernehmung abholen."

„Jetzt?"

„Ja."

Aha, dachte Simon Schweitzer, Seltsames geht vor sich in diesem, unserem Lande. „In fünf Minuten, wäre das okay?"

„Klar. Laß dir Zeit."

„Sag mal, soll ich auch Schlafanzug und Zahnbürste mitnehmen?" frotzelte er.

„Weiß nicht." Der Polizeiobermeister betrachtete seine Schuhe. „Ich führ bloß Befehle aus."

„Komm doch rein."
„Laß mal. Ich warte hier."
„Wie du willst."
Fünf Minuten später war Herr Schweitzer soweit und folgte dem Polizisten. Auf dem Beifahrersitz saß Odilo Sanchez. „Grüß dich."
„Tag Simon."
In dem Moment trat Hausmeister Heinz Rybelka aus der Tür und verfolgte mit offenem Mund das Abfahren des Polizeiwagens. Simon Schweitzer hielt beide Hände hoch als hätte er Handschellen an und winkte ungelenk. Seine Miene verriet Bedauern darüber, die nächsten Jahre keinen netten Plausch mehr mit dem König der Nachbarschaft führen zu können und statt dessen sein Leben, oder was immer davon übrigblieb, im Kerker fristen zu müssen. Heinz Rybelka im gerippten Unterhemd winkte nicht zurück.
„Hat einer von euch einen blassen Schimmer, was hier läuft?" wollte Herr Schweitzer wissen.
„Nein. Wir sind bloß Erfüllungsgehilfen vom BKA."
„Genau, die Drecksarbeit bleibt wieder mal an uns hängen", bestätigte Odilo. „Am Freitag haben wir sogar unseren Pfarrer vernehmen müssen. Und das alles nur, weil die vom BKA zu doof sind Mörder zu fangen. Die wissen noch nicht mal, was bei einem Ball vorne und hinten ist."
Das war wohl das vielzitierte Vida loca, sinnierte Simon Schweitzer. Hier saß er nun, der arme Tor, wußte weder ein noch aus und hätte gerne mit jedermann aus der Schlange getauscht, die sich vor dem Eissalon auf der Schweizer Straße gebildet hatte, an dem sie gerade vorüberfuhren.
„Aber mach dir nichts draus", versuchte Frederik ihn zu beruhigen, „die haben mittlerweile das gesamte Stadtparlament im Verdacht. So wie ich das sehe, gibt es keinen Bürger Frankfurts, der dem Schwarzbach nicht gerne ans Bein gepinkelt hätte. Du wirst sehen, in einer Stunde wird man dich wieder nach Hause bringen."
Als man über die Untermainbrücke fuhr, registrierte Herr Schweitzer, daß dies aber nicht der Weg zum Sachsenhäuser Polizeirevier war. „Wo fahren wir eigentlich hin?"
„Zum neuen Polizeipräsidium in der Adickesallee", erklärte Odilo.

Zehn Minuten später saß Simon Schweitzer in einem kargen Raum mit weißem Kalkanstrich, dessen Fenster auf den Hof gingen. Undeutlich nahm er den Geruch von frischer Farbe und Putzmittel wahr. Die Seite gegenüber der Fensterfront bestand aus zwei großen Glasscheiben zu beiden Seiten der Tür, die den Blick auf das gegenüberliegende Zimmer freigaben. Eine gertenschlanke Blondine schlenderte mit der weißen Dienstmütze unter dem Arm über den Flur. Mein lieber Herr Gesangsverein, dachte Herr Schweitzer.

Eine Viertelstunde darauf saß er immer noch alleine an dem Tisch, ohne daß sich irgendwer hatte blicken lassen. Langsam wurde Simon Schweitzer stinkig, schließlich hatte er nicht ewig Zeit. Wenn die glaubten, er würde hier das große Muffesausen bekommen, so hatten sie sich aber exorbitant getäuscht. Nicht mit ihm. Er, Simon Schweitzer, würde hier nicht zu Kreuze kriechen, das war mal klar. Natürlich war das mit Schwarzbach ein bedauerlicher Vorfall, aber was sollte das mit ihm zu tun haben? Er ließ sich hier doch nicht wie ein Strauchdieb behandeln. Er nicht. Da sollten sie ihn aber noch kennenlernen. Er beschloß, noch maximal fünf Minuten zu warten und dann zu gehen.

Die Zeit war fast abgelaufen, als ein Kümmerling mit blaugeäderter Nase durch die Tür schneite. „Guten Tag, Herr Schweitzer. Klein mein Name."

Das darf doch nicht wahr sein. Ein Mensch mit jämmerlichen Einsfünfundsechzig heißt auch noch Klein. Simon Schweitzer rang gar arg um Fassung. Aber er war auch auf der Hut. „Guten Tag", sagte er mal vorsorglich.

Der Kleine hatte ein Tonbandgerät mitgebracht und schloß es an, nachdem er eine Steckdose ausfindig gemacht hatte. Der unvermeidliche administrative Drang nach Dokumentation hatte also auch in den neuen Gebäudekomplex Einzug gehalten. „Sie können sich denken, warum Sie hier sind?"

„Klaus-Dieter Schwarzbach", erwiderte Herr Schweitzer kurz.

„Exakt. Ich schalte jetzt das Tonbandgerät ein." Klick. „Ich möchte Sie darauf hinweisen, daß Sie keine Aussage machen müssen, die Sie selbst belastet, aber daß alles, was Sie sagen, auch gegen Sie verwendet werden kann."

Aha, soso, dachte Simon Schweitzer, nun geht's ans Eingemachte.

„Seit wann kannten Sie den Ermordeten?"

Zu Beginn waren es die nämlichen Fragen, die ihm vorgestern schon von den zwei anderen Beamten des Bundeskriminalamtes gestellt worden waren. Herr Schweitzer antwortete so knapp als möglich. Doch dann verlagerte sich Kleins Interesse einzig und allein auf Karin Schwarzbach. Und auch diese Fragen beantwortete er sehr sachlich und versuchte, jedwede Emotionalität und persönliche Einschätzung der Sachlage auszusparen. Nur das Allernötigste ließ sich Simon Schweitzer entlocken. In des Kümmerlings Tun erkannte er eine methodische Genauigkeit, die ihm ein wenig Bewunderung abtrotze. Ja, fast wäre Herr Schweitzer versucht gewesen, dem umtriebigen Herrn ein wenig bei der Aufklärung unter die Arme zu greifen. Aber nur fast, schließlich war da noch die historische Grenze, die den Handlanger des Systems von dem Helden einer fast siegreichen Revolution trennte.

„Haben Sie dem noch etwas hinzuzufügen?" wurde er abschließend gefragt.

„Nein."

Klick. „Danke."

„Das war's?"

„Das war's."

Im Foyer, direkt an der Pförtnerloge, traf Simon Schweitzer auf Apostel Hollerbusch und einen gewaschenen, kaum wiederzuerkennenden Daniel Fürchtegott Meister in frischen Klamotten. „Ach, welch Überraschung. Ihr hier?"

„Schau, der Simon, Tagchen" grüßte Hollerbusch.

Daniel Fürchtegott gab ihm die Hand. „Hallo."

„Sagt bloß, ihr wart auch zur Vernehmung hier."

„Ja, aber jetzt sind wir wieder frei", versuchte der Apostel witzig zu sein, was insofern rührend anmutete, da Religion und Humor sich gemeinhin gegenseitig ausschlossen.

Meister, der alte Philosoph, deklamierte mit erhobenem Zeigefinger: „Wobei Freiheit natürlich lediglich der Abstand zwischen Jäger und Gejagtem ist."

Herr Schweitzer war sehr beeindruckt ob dieser Worte.

„Hat man dich auch nach deinem Alibi gefragt?" wollte Hollerbusch wissen.

„Welches Alibi meinst du?"

„Na, vom ..." Guntram überlegte.

Derweil beendete Meister den Satz: "30. August 1981. Die Nacht, in der die zwei Polizisten an der Startbahn erschossen worden sind."

Simon Schweitzer war leicht verwirrt. „Nein, man hat mich nicht danach gefragt. Was hast du geantwortet?"

„Daß ich es nicht mehr wüßte, wo ich damals war. Man kann sich doch nicht daran erinnern, was man vor einundzwanzig Jahren gemacht hat. Es sei denn, es war der Hochzeitstag oder so", erklärte der Apostel.

„Doch auch der wird immer wieder gerne vergessen", sagte Meister. „Außerdem ist mein Hirn vom Alkohol sowieso vernebelt und aufgeweicht. Apropos Alkohol, wollen wir nicht irgendwo einen bechern gehen, der alten Zeiten wegen?" Er rieb sich vor Vorfreude die Hände.

„Ich geh ungern in Hibbdebach einen trinken. Ich kenn mich hier nicht aus", gestand Herr Schweitzer.

„Wir können ja auch wieder zurück nach Sachsenhausen fahren", schlug Daniel Fürchtegott vor. „Ich hab meinen Chauffeur dabei."

„Aber viel Zeit hab ich nicht", warnte Simon Schweitzer schon mal vor.

Sie gingen zu den Parkplätzen, wo die zwei Sachsenhäuser Polizeibeamten warteten und ließen sich ins Café Windhuk in die Brückenstraße fahren, was Herrn Schweitzers Vorschlag war.

Als Daniel Fürchtegott ein großes Bier und Simon Schweitzer und Guntram je einen Kaffee vor sich stehen hatten, trat eine nachdenkliche Stille ein, weil einjeder von ihnen mit weit in die Vergangenheit reichenden Gedanken beschäftigt war. Herr Schweitzer, zum Beispiel, versuchte sich trotz der Sinnlosigkeit des Unterfangens daran zu erinnern, wo er in der Nacht der Polizistenmorde gewesen sein könnte, derweil der Apostel einer netten Episode mit Karin gedachte.

Wie man so vor sich hinschwieg, kam Simon Schweitzer der Gedanke, daß es sich genau um jene Stille handelte, die zwischen Freunden zuweilen eintrat, ohne daß sie den peinlichen Charakter besaß, der einen oft dazu drängte, nur um des Redens willen und um eine bedrückende Ruhe zu beenden, etwas Belangloses zu sagen.

„Wer hat dich denn eigentlich neu eingekleidet?" fragte Herr Schweitzer Daniel Fürchtegott nach einer Weile in die Stille hinein.

Der Angesprochene sah erstaunt an sich herunter, als hätte er es selbst noch nicht registriert und fuhr sich durch die gewaschenen Haare, ohne daß ein schmieriger Fettfilm an den Fingern kleben blieb. „Guntram hat mir ein paar abgetragene Sachen gegeben."

„Ja, und vielleicht kann ich ihm auch einen Job vermitteln", sagte der Apostel mit feierlicher Stimme und viel darin enthaltenem Pathos. „Als Gärtner."

Wovon der Meister allerdings weniger begeistert zu sein schien. „Ja, da schaun wir mal." Da die Aussicht auf Arbeit recht desillusionierend erschien, trank er hastig einen großen Schluck und wechselte das Thema. „Kannst du dich noch an die Marmeladengeschichte im Supermarkt erinnern?" fragte er Simon Schweitzer.

Dieser verneinte.

„Ist auch schon ewig her. Wir beide standen an der Kasse, und nebenan fuhr so ein verzogener Dreikäsehoch den Einkaufswagen mehrmals absichtlich in die Fersen des Vordermannes. Dieser drehte sich um und beschwerte sich bei der Mutter des Kleinen, worauf sie sagte, er solle sich nicht so anstellen, sie würde aus Überzeugung antiautoritär erziehen."

Jetzt erinnerte sich Herr Schweitzer wieder, doch er unterbrach nicht.

„Also hat der Typ sich ein Marmeladenglas aus seinem Einkaufswagen geschnappt und den gesamten Inhalt auf den Kopf des kleinen Rabauken geschüttet und gesagt, daß auch er antiautoritär erzogen worden sei, und daß auch ihm das sehr gut bekommen habe. Erinnerst du dich nun?"

„Ja." Simon Schweitzer grinste über das ganze Gesicht.

„Und dann hat so ein Rentner aus unserer Reihe an der Kasse sich halb totgelacht und lauthals zu der Kassiererin geschrien, daß die Marmelade auf seine Rechnung gehe."

„Ja, wir wollten, glaube ich, ein paar Sixpacks für irgendeine Fete besorgen. Damals verging ja kaum ein Tag ohne Party", bemerkte Herr Schweitzer und erinnerte sich an viele Abende von einst. Und wie er sich so erinnerte, fiel ihm siedendheiß Maria von der Heide ein, und daß er sich ja noch zurecht machen mußte. Erschrocken sah er auf seine Armbanduhr.

„Hast du jetzt noch was vor?" erkundigte sich Guntram.

„Na ja, ein bißchen Zeit ist noch."

„Dann kann ich ja noch ein Bier bestellen", erkannte Daniel

Fürchtegott und signalisierte dies auch sogleich der Bedienung.

Simon Schweitzer blieb noch auf einen Kaffee. Dann verabschiedete er sich, derweil die früheren Gefährten noch sitzen blieben.

Er ging durch den Südbahnhof und wäre auf der Mörfelder Landstraße fast in einen großen Hundehaufen getreten, die massenweise den Bürgersteig vor einem Veterinär zierten. Herr Schweitzer verglich den Gang eines Hundes zum Tierarzt mit dem eines Soldaten in die Schlacht. Was die Scheiße anging, waren die Ergebnisse identisch.

Herr Schweitzer hatte viel Aufwand betrieben und besah sich das Ergebnis im Spiegel. Mamis Bester sah blendend aus. Ein nach weiß der Teufel was riechendes Rasierwasser hüllte ihn in eine geheimnisvolle Wolke. Für das Schlachtfeld der Liebe war er also bestens gewappnet.

Simon Schweitzer wählte die Nummer der Taxizentrale. Dann ging er zu Laura sich verabschieden und war erpicht darauf, daß sie ihn in seiner Pracht bewunderte.

Aber nichts geschah in dieser Richtung. Laura sah nur kurz von ihrer Lektüre auf und las dann weiter. Gerade so als stünde er schlaftrunken im Trainingsanzug vor ihr anstatt im Balzgefieder.

„Ähem, ich geh dann mal“, wurde er schon deutlicher.

„Ja, klar. Viel Erfolg auch.“ Seine Mitbewohnerin suchte schon wieder die Stelle im Buch, wo sie unterbrochen worden war. Doch schon schnupperte sie aufmerksam in der Luft. „Was stinkt denn hier so fürchterlich?“

Herr Schweitzer schnupperte ebenfalls, konnte aber außer dem Rasierwasser nichts riechen.

Laura kam ein Verdacht. „Sag mal, das ist doch Rasierwasser, was hier so stinkt.“

Simon Schweitzer war nun arg verzagt. Auf dem Gebiet der Rasierwasserbenutzung war er alles andere als eine Instanz. Auf der Haut brannten sie nach der Rasur sowieso alle, ergo ging er beim Kauf nach dem Preis. Und dem Diktat der Werbung verweigerte er sich auch grundsätzlich. Bislang war er darob auch noch nie auf Probleme gestoßen. Aber nun hatte Laura die verhängnisvolle Bemerkung gemacht, daß es hier stinke. Nach Rasierwasser. „Wie meinst du das?“

„Na, wie ich es gesagt habe. Es stinkt fürchterlich nach billigem Rasierwasser, stimmt's? Deine Maria muß schon sehr verliebt sein, wenn sie dich auch nur zur Tür hereinläßt."

Es klingelte. „Ach du Scheiße. Mein Taxi."

Herr Schweitzer stürzte ins Bad, befeuchtete ein Handtuch und schrubbte sich von der nach Damenmeinung übelriechenden Substanz so viel wie möglich herunter. Dann suchte er Schlüsselbund und Geldbeutel und flog aus der Wohnung. „Tschüssi", rief er noch, doch die Tür war schon ins Schloß gefallen.

Wegen des Blumenstraußes ließ er sich zur Tanke auf der Mörfelder Landstraße fahren. Auf der Suche nach einem Marken-Aftershave glitt sein Blick reumütig über die Regale. Leider vergebens. Duftwasser führte man nicht. Dafür war der Blumenstrauß eine Augenweide. Zart rosafarbene Anthurien, edle Rosen und Lilien fügten sich zu einem fulminanten Gebinde. Ein bißchen Grünzeug war auch dabei.

Auf der Fahrt zum Lerchesbergring überprüfte er nochmals den Geruch seiner Wangen. Man roch fast gar nichts mehr, und so kehrte auch sein Wagemut allmählich zurück.

Fünf Minuten später entlohnte Simon Schweitzer den Chauffeur, stieg aus und klingelte. Maria von der Heide betätigte den elektrischen Türöffner des schmiedeeisernen Tores. Koniferen säumten den Kiesweg. Bei jedem Schritt knirschte der Kiesel unter den Sohlen. Da Herr Schweitzer das Gefühl hatte, von Maria über ein unsichtbares Kamerasystem beobachtet zu werden, hielt er den Strauß hinter dem Rücken. Von ganz fern drangen Verkehrsgeräusche an seine Ohren. Die Bäume warfen lange Schatten. Irgendwo in der Nachbarschaft bellten zwei Hunde. Ein leichter Schweißfilm hatte sich auf seinen Handflächen gebildet. Er wischte ihn an der Hose ab.

Lautlos öffnete sich die Tür, und Maria erschien im Türrahmen. „Grüß dich." Sie machte einen Schritt auf Simon Schweitzer zu, wollte ihn umarmen. Doch seine steife Haltung und der auf dem Rücken verborgene Arm hinderten sie daran.

Mit altmodisch gezierter Höflichkeit überreichte Herr Schweitzer den Blumenstrauß.

„Oh, die sind aber schön. Komm doch rein."

Heute also kein Begrüßungsküßchen. Er folgte. Da fiel ihm ein, daß er eigentlich nach Altväter Sitte das die Blumen umhüllende Plastik hätte entfernen sollen. Vielleicht ist ja deswegen der Kuß entfallen. Er schalt sich einen Tölpel. Er tröstete sich damit, daß

Maria nun nicht eben feierlich für den möglicherweise bevorstehenden Festakt gekleidet war. Trotzdem, und das wußte Simon Schweitzer nicht erst seit heute, standen ihr Jeans und schlichtes weißes T-Shirt super. Diese Figur. Atemberaubend.

Der ellenlange Flur endete in einem Zimmer gigantischen Ausmaßes. Donnerwetter, dachte Herr Schweitzer, hier hat's ja mehr Quadratmeter als bei mir in der ganzen Wohnung. Und die waren auch notwendig. Wo sonst hätten die vielen Skulpturen auch Platz gefunden? Einige von ihnen waren mannshoch. Neugierig sah er sich um.

„Schau dich ruhig um“, sagte Maria. „Ich geh nur mal schnell in die Küche nach dem Rechten sehen. Dann zeig ich dir den Rest.“

Die bevorzugten Materialien waren Stein und Holz. Für Kunst an sich hatte Simon Schweitzer zwei Sparten parat. Das, was ihm gefiel, war gute Kunst. Und das, was ihm nicht gefiel, war Schrott, so einfach war das. Er fand, dies sei eine kluge Herangehensweise. An was hätte er sich auch sonst orientieren sollen? Einige kleinere Figuren thronten auf römischen Sockeln. Fast immer war ein Gesicht als Motiv vorhanden. Zuweilen liebevoll dreinblickend, manchmal grotesk verzerrt. Aber immer gefielen sie Herrn Schweitzer, wohl auch, weil die Skulpturen viel Harmonie ausstrahlten und in sich schlüssig waren.

Nachdem er sich an der Kunst sattgesehen hatte, schlenderte er zum Bücherregal, das Innenleben seiner Angebeteten einer genaueren Prüfung zu unterziehen. Triviales war nicht vorhanden, dafür etliche russische Klassiker wie Tolstois Anna Karenina oder Gorkis Verlorene Leute. Und jede Menge Bildbände über Maler und Bildhauer. Einige kannte Herr Schweitzer, die meisten jedoch sagten ihm nichts. An der Wand hingen auch einige Ölbilder, die nichts Reales darstellten, mit Verismus folglich nichts am Hut hatten, aber durch das Wechselspiel der Farben bestachen. Sie waren unterschiedlich gerahmt und signiert. Keines der Kürzel trug den Namenszug Maria von der Heide.

Simon Schweitzer stand an der gläsernen Schiebetür, die eine komplette Wandseite einnahm, und schaute in das weiche Abendlicht des Gartens, als Maria zurückkehrte.

„Ist bald fertig. Ich hoffe, du hast großen Hunger.“

„Hab ich.“

„Komm, ich zeig dir den Garten.“

Herr Schweitzer hörte Besitzerstolz aus ihrer Stimme. Maria schob die Tür auf, und sie gingen hinaus. In des Nachbars Garten fand offenbar ein Grillfest statt, denn man vernahm ein entspanntes Stimmengewirr und den typischen Bratwurst- und Steakgeruch.

Sie hatten den Flachbungalow einmal umrundet. Maria blieb stehen, bestrich das Areal mit einer weit ausholenden Handbewegung und sagte: „Der Architekt war ein Schüler Richard Neutras."

Damit konnte Simon Schweitzer nun so rein gar nichts anfangen. Wer mochte dieser Neutra gewesen sein? Wes Geistes Kind war er? Auf dem Parkett der Architektur, das gestand er sich unumwunden ein, war er eine ausgemachte Null. Aber auf dem Operationsfeld der Kommunikation war er momentan in Topform. Also wagte er zu sagen: „Ja, das sieht man." Und machte eine ähnliche, allesumfassende Handbewegung wie Maria eben.

„Na ja, obwohl man sich hin und wieder des Eindrucks nicht verwehren kann", sie hakte sich bei ihm unter, „daß sich die Natur eher an das Haus angeschmiegt hat als daß dieses in die Landschaft integriert ist."

Aha.

„Findest du nicht auch?"

„Klar", sagte Herr Schweitzer spornstreichs und mit Nachdruck und fügte leichtsinnigerweise hinzu: „Auch ein bißchen mehr Aufeinandereingehen hätte hier nicht schaden können."

Er glaubte, eine Glanznummer abgezogen zu haben, aber Maria hinterfragte: „Wie meinst du das?"

Simon Schweitzer, ganz in seinem Element, säumte keine Sekunde: „Nun, vielleicht klingt das blöd, aber zu einer perfekten Symbiose gehört auch ein ..., sagen wir gegenseitiges Abtasten der Materie." Hier kam ihm seine Kneipenerfahrung mit all den schwachsinnigen Gesprächsfetzen trunkener Nachtschwärmer zugute. Er hatte das untrügliche Gefühl, sich auf jedweder geistigen Ebene bewegen zu können, ohne zu stürzen oder gar nur zu straucheln.

„Da hast du recht. Man merkt doch gleich, daß du ein Mann sensibler Rhetorik bist. So schön und gehaltvoll hätte ich es nicht ausdrücken können."

Volltreffer. Herr Schweitzer spielte mit dem Gedanken, sich als Journalist der Landschaftsarchitektur einen Namen zu machen.

Oder verspottete sie ihn bloß?

„Jetzt laß uns aber was essen“, sagte Maria energisch und beschleunigte ihre Schritte.

In einer Ecke stand ein gedeckter Tisch. Er war halb von einer riesigen Skulptur verdeckt, weswegen Simon Schweitzer ihn zu Beginn nicht wahrgenommen hatte. Die Skulptur erinnerte sehr stark an Traktor beweint Ernte seiner Mutter. Maria verschwand in der Küche.

Simon Schweitzer folgte ihr nicht, und da er auch sonst wenig mit sich anzufangen wußte, fläzte er sich auf das Sofa. Auf einem reich ornamentierten Beistelltisch aus dunklem Holz stand eine Schale gerösteter Erdnüsse. Er gehorchte dem Knurren seines Magens und bediente sich. Das Arrangement der Möbel und der Skulpturen verbreitete eine angenehme Atmosphäre, von der sich Herr Schweitzer bereitwillig anstecken ließ. Er schloß die Augen und versuchte sich den weiteren Verlauf des Abends vorzustellen. Er fand, es hatte sich alles über Erwarten gut angelassen.

„Essen ist fertig“, rief Maria und schreckte Simon Schweitzer damit aus einem Sekundenschlaf auf. Er sprang förmlich an den Tisch.

„Eine Meeresfrüchtesuppe“, eröffnete Maria das Diner. Dann legte sie sich eine altrosa Stoffserviette auf den Schoß. Herr Schweitzer paßte sich den Gepflogenheiten des Hauses an und entfaltete ebenfalls eine Serviette.

„Guten Appetit“, sagte Maria.

„Danke gleichfalls.“ Simon Schweitzer schaute Maria in die Augen und erntete einen liebevollen Blick. Dann aß er den ersten Löffel. Nicht zuviel, der ungewissen Temperatur der Vorspeise wegen. Hmm, dachte er und sagte es auch: „Hmm.“

„Schmeckt es dir?“

„Vorzüglich.“ Herr Schweitzer fühlte sich wie im Schlaraffenland. Er mußte sich sehr zurückhalten, um nicht durch zu hastiges Essen einen Mangel an Tischmanieren anzudeuten. Gerade die Tintenfischstreifen und die Garnelen waren ein Gaumengenuß par excellence. Gewürzt war die Suppe mit einem Spritzer Zitronensaft und Dillspitzen. Gegen Ende unterdrückte Simon Schweitzer tapfer einen Rülpser.

„Ach“, stöhnte Maria unvermittelt, „jetzt hab ich ganz vergessen, den Wein zu servieren. Was ist nur los mit mir?“

Herr Schweitzer wertete dies als Zeichen, daß er ihr den Kopf verdreht hatte.

Kurz darauf war sie wieder da und schenkte die beiden Gläser voll. „Es ist ein 98er Yulupa Chardonnay. Hat mir Bertha empfohlen."

Kennerhaft, auch das hatte er sich von den Großen dieser Welt abgeguckt, schnüffelte Herr Schweitzer am Bouquet und gab seinen Kommentar ab: „Ein Traum von Wein."

Mit überbordender Wärme schaute Maria von der Heide ihn an, sagte aber nichts, sondern aß ihren Teller leer.

Während der Hauptspeise, einer vorzüglichen Forelle Blau aus dem Sud mit Sahnemeerrettich, wurde eine zweite Flasche geöffnet. Geredet wurde nicht viel, und wenn, dann über die Zubereitung der Speisen.

Nach dem Mousse au chocolat mit Cocktailkirschen servierte Maria einen Mokka, der aber nicht verhindern konnte, daß Herr Schweitzer vom Essen rechtschaffen müde geworden war. Am liebsten hätte er sich auf ein Stündchen hingelegt.

Das Geschirr war in der Spülmaschine verstaut. Maria schlug vor, sich aufs Sofa zu setzen.

„Was hältst du eigentlich von uns beiden?" fragte die Gastgeberin ohne jedes Vorgeplänkel und begann an Herrn Schweitzer herumzunesteln und ihn zu liebkosen. Dieser wiederum verteilte daraufhin auf ihrem Gesicht so viele Küsse, wie darauf Platz hatten. Eine Antwort auf ihre Frage hatte sie nicht wirklich erwartet.

Auf jeden Fall war die Leidenschaft entfacht, und schon bald darauf brach auch die Disziplin endgültig zusammen. Maria dirigierte Simon Schweitzer ins Schlafzimmer. Jaja, die Jugend.

Nachdem der erste Sturm und Drang vorüber war, herrschte für eine halbe Stunde Ruhe und Ermattung, bevor ein erneuter Versuch gestartet wurde.

Fünf Minuten später war Herr Schweitzer mit seinen gezeigten Leistungen zufrieden. Maria war der Meinung, daß es durchaus etwas mehr hätte sein dürfen. Dies behielt sie aber für sich.

Die Nacht hatte ihren Kokon gesponnen, und die Nachttischlampen wurden angeknipst. Anheimelnde Gardinen verwehrten den Blick nach draußen.

„Das war schön", reflektierte Maria von der Heide noch einmal das Geschehene. Dabei zwickte sie Simon Schweitzer, der auf dem Bauch lag, in den Hintern. „Wollen wir noch in den Garten gehen? Ich hab noch ganz viel zu trinken und zu knabbern."

Herr Schweitzer wäre am liebsten liegen geblieben. Aber das konnte er nicht bringen. Nicht am ersten Abend. Folglich rappelte er sich ächzend wieder auf. Nichts war mehr mit Jugend. „Gerne."

Aus einem Wandschrank holte Maria einen roten Frotteebademantel, zog ihn an und überreichte Simon Schweitzer einen dunkelroten Satinkimono der Größe XXL, der mit goldenen Drachen und Phönixen verziert war. Er kam sich darin vor wie einer der Sieben Samurai. Jetzt, da er stand, kam auch wieder Leben in seine müden Knochen. Er folgte Maria in die Küche, wo er von ihr zwei Gläser und eine Flasche Portwein in die Hand gedrückt bekam, derweil er die chromblitzenden modernen Küchengeräte bewunderte. Sie selbst leerte eine Tüte Salt and Vinegar Chips in eine Schüssel.

Dann führte sie ihn in einen am Schlafzimmer angrenzenden, aber nur vom Garten aus erreichbaren, nach oben offenen Anbau, den man von außen als solchen nicht wahrnahm. Zwei Wände in der Höhe des Hauses und ein mit Weinreben berankter hölzerner Eingang begrenzten den vielleicht fünfundzwanzig Quadratmeter großen Atriumsgarten. Etwa zwei Drittel davon war mit Marmorplatten lose ausgelegt, den Rest zierten Geißblatt, Zwergmispel, Lavendel, Besenheide und Bambus. Zwei Liegen aus Teak wurden von je einem quadratischen Beistelltisch aus demselben Material flankiert. Maria entflammte zwei in den Boden gesteckte Fackeln und löschte die elektrische Außenbeleuchtung, die von allerlei nächtlichem Getier umschwirrt wurde.

„Das ist sozusagen mein Geheimversteck. Im Sommer kann man hier völlig ungestört seinen Körper bräunen."

Dies war dem Herrn Schweitzer auch schon aufgefallen. Maria ging auch weiterhin spendabel mit Reizen um, den Bademantel hatte sie nicht geschlossen. Ja, es gab nicht einmal einen Gürtel, der dies hätte bewerkstelligen können. Kurz flackerte ein weiterer Leidenschaftsanfall auf. Aber nur ein ganz kurzer, dann ließ sich Simon Schweitzer wohlig auf dem wollenen Kissen der Liege nieder.

„Was verlangst du eigentlich für eine Skulptur?" Es war eine aus reiner Höflichkeit gestellte Frage.

„Das ist unterschiedlich. Die Venus aus Holz zum Beispiel, das ist die mit dem Doppelgesicht, hab ich vor zwei Wochen für dreißigtausend Euro an einen kanadischen Besitzer einer Wasserflugzeugfabrik verkauft."

Das war fürwahr ein stattlicher Preis. Da verschlug es selbst unserem Herrn Schweitzer, der ansonsten wahrlich nicht auf den Mund gefallen war, die Sprache, und es entstand eine meditative Stille. Diese währte freilich nicht allzu lange. „Dreißigtausend?" Er wollte einen Hörfehler seinerseits ausgeschlossen wissen.

„Ja. Und er hat bar bezahlt. Vielleicht Schwarzgeld. Die Venus bleibt allerdings noch so lange hier stehen, bis sein Schloß in der Languedoc fertig renoviert ist."

Herr Schweitzer war sehr beeindruckt. Da hätte seine Mutter mit Traktor beweint Ernte nicht gegen anstinken können. Er fragte sich, ob er vielleicht nicht doch eher in den Kunstmarkt einsteigen sollte, anstatt Artikel über Landschaftsarchitektur zu verfassen. So ließ er sich mit seinen Gedanken forttragen, malte sich aus, wie Maria und er die Kunstszene aufmischten und schlußendlich ihren verdienten Ehrenplatz im Guggenheim-Museum einnahmen.

Er war gerade dabei die Lobrede des amerikanischen Präsidenten auf Maria und ihn auszuformulieren, als ein widerliches Summen seine Ohren erfüllte. Er schüttelte den Kopf und schlug gleichzeitig und blindlings mit der rechten Hand in die grobe Richtung des Geräuscherzeugers. Vergebens. Fünf Sekunden später summte es erneut, und Simon Schweitzer schlug zurück. Das ging eine Weile so, bis auf seine Reaktion keine neuerliche Aktion folgte. Er glaubte schon, den Störenfried auf die eine oder andere Weise besiegt zu haben, als sich eben jener auf dem Schoßbereich des Kimonos niederließ. Es war eine Stechmücke, von alten Lateinern auch Culex pipiens genannt. Provozierend langsam putzte sie sich die Flügel. Noch langsamer bewegte sich Herr Schweitzers Arm nach oben in Totschlagstellung. Die Welt um ihn herum hatte aufgehört zu existieren. Leise summte jemand das Wiegenlied vom Totschlag. Maria beobachtete gebannt das Handlungsgeschehen.

Das Leben war auf diese eine, schon seit der Weltengeburt bestehende Kampfhandlung reduziert. Es galt, dem Moskito zumindest in der Sekunde des Todes klarzumachen, daß der Mensch der Gipfel der Schöpfung war, und man ihn nicht ungestraft zu molestieren habe. Selbstvergessen starrte Herr Schweitzer das Insekt an, das sich weiterhin putzte. Er nahm sich vor, den Todesstoß in zehn Sekunden durchzuführen. In Gedanken hatte der Countdown begonnen. Acht, sieben, sechs ... Bei null schlug das Imperium zu. Kräftig. Und blitzschnell. Sich genau in die Eier.

Simon Schweitzer schrie vor Schmerzen. Die Stechmücke konnte das Geschrei aufgrund fehlender Erfahrungswerte, wiederum bedingt durch zu kurze Lebensdauer, nicht einordnen und entfloh sicherheitshalber in das Halbdunkel des Nachthimmels. Man konnte sich ja schließlich auch woanders weiterputzen.

Maria hatte erst laut gelacht, dann aber, als ihr Gast anfing epileptisch herumzuspringen, sehr rührend versucht, durch Klopfen auf den Rücken eine Linderung herbeizuführen. Da sich der Herr Schweitzer aber nicht verschluckt, sondern in die Eier gehauen hatte, half das natürlich nicht unmittelbar. Doch bewirkten die Schläge, respektive die Berührung seines Körpers durch seine Liebste eine quasi indirekte Beruhigung des aufgebrachten Nervensystems. Der Schreck war wieder einmal größer als der Schmerz gewesen.

Kurz darauf lag Simon Schweitzer wieder in der Liege. Maria, die sich schon seit ihrer Kindheit auszumalen versuchte, was das wohl für eine Art von Schmerz sein mochte, die Jungs so markerschütternd aufheulen ließ, glaubte, Herrn Schweitzer ablenken zu müssen, auf daß sich seine Gedanken nicht mehr auf den noch vorhandenen Restschmerz konzentrierten. „Karin hat mir neulich erzählt, daß vor ein paar Wochen ganz überraschend ein alter Freund von ihr, den sie schon seit Ewigkeiten nicht mehr gesehen hatte, aufgetaucht sei. Daniel Fürchtegott oder so heißt der. Kennst du den?“

„Ja.“ Die Antwort war mechanisch gekommen, ohne groß darüber nachzudenken. Ein Flugzeug war auf der neuen Einflugschneise über ihre Köpfe hinweggedonnert, und der Geräuschpegel hatte Herrn Schweitzers Gedanken in eine Welt hinfortgetragen, in welcher der Mensch noch das Sagen hatte und solche enervierenden Fortbewegungsmittel sich entweder dezibelreduziert gen Äther erhoben oder mit schweren Eisenketten im Betonboden verankert wurden. Das waren natürlich die Träume eines naiven Weltverbesserers, und Simon Schweitzer war schlau genug, bei solchen Gedanken nicht allzu lange zu verweilen, wollte man von der Gesellschaft nicht als Spinner abgetan werden. Also widmete er sich wieder dem Hier und Jetzt und somit Marias Frage, die er vorschnell beantwortet hatte. „Ja, Daniel Fürchtegott. Ein guter

Freund von mir. Wo ist der aufgetaucht?"

Maria hielt diese geistige Verwirrung bei Simon Schweitzer für eine Folge der versehentlichen Selbstgeißelung und ging bereitwillig auf sein diffuses Gerede ein. „Bei Karin und Klaus-Dieter. Vor ein paar Wochen."

Es war für Herrn Schweitzer sehr schwer, sich in der momentanen Atmosphäre von Liebe und Erotik dem Satansbraten Klaus-Dieter Schwarzbach und dessen mysteriösen Ablebens zu widmen. Aber er versuchte es. Und konnte doch wirklich nichts dafür, daß er sich in diesem Zusammenhang an die Worte Frederik Funkals erinnerte. Nicht überall, wo Hessischer Ministerpräsident draufsteht, ist auch Hessischer Ministerpräsident drin. Er wußte um der makabren Wortwahl und grinste trotzdem.

„Was ist denn daran lustig?" fragte Maria, sichtlich irritiert.

Jetzt wurde es kompliziert. Herr Schweitzer versuchte sich an das zu erinnern, was Maria zuvor gesagt hatte und woraufhin er an die falsche Verpackung des abgelebten Frankfurter Stadtverordneten hatte denken müssen. Allerdings spielte ihm sein Gedächtnis einen Streich, was sehr selten vorkam. So hielt er es für angebracht, auch um nicht noch mehr Gedankenchaos zu verursachen, Maria sein Grinsen zu erklären. Außerdem war es eine günstige Gelegenheit, den Humor seiner Herzensdame auszuloten. So geschah es. Mit ernster Miene rezitierte er den Polizeiobermeister Frederik Funkal, den sie ja auch schon das Vergnügen hatte kennenzulernen. Damals im Frühzecher.

Dann trat eine Stille ein, die dauerte. Unangenehm dauerte. Simon Schweitzer glaubte schon, einen die Harmonie zwischen ihnen störenden Humorunterschied konstatieren zu müssen, als sich Marias Gesichtszüge aufreizend langsam entspannten und sich zu einem heiteren Lächeln formierten. „Du bist mir vielleicht einer."

Gott sei Dank. Herr Schweitzer war sehr erleichtert ob ihrer Reaktion und hatte das Gefühl, daß ihre noch junge und zarte Beziehung die Feuertaufe bestanden hatte. Er suchte nach Worten für sein Glück, fand keine und kam mit sich überein, daß Worte soviel Glück, wie er gerade empfand, sowieso gar nicht fassen konnten.

„Aber was ist jetzt mit Daniel Fürchtegott?"

Aha. Da war er wieder, der Gesprächsfaden von vorhin. „Ja natürlich. Habe ihn neulich nach über zwanzig Jahren wiedergetroffen. Daniel Fürchtegott, ein guter Mensch."

Simon Schweitzer führte sein Glas an die Lippen. „Warum fragst du?"

„Weil mir Karin neulich erzählt hat, daß dieser Daniel Fürchtegott völlig unerwartet bei ihr aufgetaucht sei. Und ich hatte den Eindruck, daß sie das ..., wie soll ich sagen?, etwas aus der Bahn geworfen hat."

Seltsam, dachte Herr Schweitzer, warum hat mir Daniel Fürchtegott nichts davon erzählt? Im Café Windhuk wäre dafür doch genug Zeit gewesen. Oder war es, weil Apostel Guntram Hollerbusch dabei war und er in dessen Gegenwart aus Rücksicht nicht von Karin reden wollte. Simon Schweitzer blickte nicht mehr durch in dieser äußerst verworrenen Angelegenheit, in der die Gegenwart irgendwie mit der Vergangenheit verstrickt sein mußte. Aber wie? Und war sie das nicht immer, mit der Vergangenheit verstrickt? Herr Schweitzer merkte, wie er alles nur noch komplizierter machte und nahm sich vor, bei Gelegenheit mal darüber nachzudenken. Doch heute abend nicht. Da galt es, andere Wege einzuschlagen. Wie den der Liebe zum Beispiel. Trotzdem fragte er neugierig: „Hat Karin sonst noch was gesagt?"

Maria von der Heide überlegte kurz und meinte dann entschieden: „Nein. Aber bei Karin weiß man in letzter Zeit sowieso nicht, woran man ist und was sie wie gemeint hat. Ich glaube, ihre Schwester Hannelore kümmert sich prima um sie."

„Armes Mädchen", sagte Herr Schweitzer und hatte damit wieder einige Pluspunkte bei Maria auf der Sensibilitätsskala ergattert.

Ein Nachtfalter flog in die Flamme der Fackel und erstarb zischend. Maria verteilte den Rest des Portweins. Simon Schweitzer hatte, ohne es zu merken, einen Großteil der Chips in sich hineingefuttert.

Es war schon nach der mitternächtlichen Stunde, als man sich endlich zu Bette begab. Beiderseits stellten sich nochmals die in dieser Frühphase unvermeidlichen sexuellen Gedanken ein, die aber letztendlich nicht weiterverfolgt wurden. Kaum lag Simon Schweitzer, gab er Maria einen Gutenachtkuß, gähnte aus der Tiefe seines Leibes und schlummerte auch schon.

Im Mondlicht, das durch die Gardinen drang, besah sich Maria ihre Eroberung, und ihr ward ganz wohlig im Bauch ob Herrn Schweitzers seligen und unschuldigen Schlafs. Sie war sehr zufrieden mit der Welt.

Kurz nach Sonnenaufgang wachte Simon Schweitzer das erste Mal auf. Er mußte pissen, und als er wieder ins Bett kroch, registrierte er das Pfeifen der Morgenspatzen. Danach schlief er recht unruhig in diesem zwar bequemen aber doch noch ungewohnten Schlafgemach. Gen elf hatte er die Schnauze voll vom Dämmerschlaf und küßte Maria versuchsweise auf die nackte Schulter. Keine Reaktion. Herr Schweitzer wiederholte den Vorgang und erhielt als Erwiderung ein unwilliges Grunzen aus einer fernen Galaxie. Er gab es auf, erhob sich und zog den Kimono an. Leise schlich er in die Küche und setzte Kaffee auf, nachdem er sich mühsam mit der Logik der Kaffeemaschinenfunktionalität auseinandergesetzt hatte.

Auf einer Terracottaschale lagen verschiedene Früchte. Herr Schweitzer nahm sich einen Apfel und begab sich ins Wohnzimmer. Ein ultramarinblauer Himmel bestrahlte den Raum durch ein riesiges Dachfenster, das er gestern gar nicht bemerkt hatte, oder wenn, dann aus Gründen der absoluten Nebensächlichkeit schon wieder vergessen hatte. Er nippte am brütendheißen Kaffee, setzte sich aufs Sofa und war sich ziemlich sicher, in der besten aller Welten zu leben. Eine dreiviertel Stunde kontemplativer Ruhe war ins Land gegangen, dann stand auch Maria von der Heide auf.

„Guten Morgen, Simon."

Dem Himmel sei Dank kein Kosewort, dachte Herr Schweitzer. Schlicht und ergreifend Simon. Kein Hasenknuddelchen, kein Mausespeck und erst recht kein Schnäuzelbärchen. Er war sehr erfreut. Simon bleibt also Simon, wie Persil für immer Persil bleibt. Er stand auf und bediente den leicht geöffneten Kußmund seiner Liebsten. „Guten Morgen, Maria. Gut geschlafen?"

„Göttlich. Und du?"

„Danke. Das nächste Mal werde ich bestimmt auch so lange schlafen wie du. Die Umgebung war noch etwas gewöhnungsbedürftig."

Maria lachte herzerfrischend, und Simon Schweitzer dachte, daß ja alles wie am Schnürchen lief, daß es vor allen Dingen ein nächstes Mal geben würde.

Man hatte gefrühstückt, als Maria den Vorschlag unterbreitete, einen Spaziergang zu unternehmen, aber nur, falls Herr

Schweitzer Lust dazu verspürte. Er verspürte, und man einigte sich aufs Königsbrünnchen als Ziel, wo schon Goethe Anno dazumal gelustwandelt hatte.

Der erste Teil des Weges, eine kleine Sackgasse, in der Autoverkehr noch gestattet war, entbehrte ein wenig an Romantik, da plattgefahrene, und damit ihrer Dreidimensionalität beraubte Froschkörper konturenreich per Reifen auf den Asphalt gedrückt waren. Die Hitzewelle der letzten Tage hatte sämtliche Flüssigkeiten aus den ledernen Kadavern gezogen. Dann tauchte man in den schattigen Mischwald ein. Das übermächtige Grün bemächtigte sich der Sinne, und Maria ergriff beherzt Herrn Schweitzers Hand.

Es war nicht sehr weit. Eine halbe Stunde später hatte man den Jacobiweiher umrundet und von einer Holzbrücke aus Fische und Federvieh bei ihrem Treiben beobachtet. Danach war man zu Frankfurts einziger natürlicher Quelle im Stadtwald geschlendert. Man unterhielt sich über dies und jenes und übte sich in Harmonie. Schließlich forderte Maria zur Rast auf einem seitlich bemoosten Stein auf, da sämtliche Bänke von Menschen belegt waren, die an diesem herrlichen Montag dieselbe Idee gehabt hatten. Das Königsbrünnchen, in seiner von Eisen und Schwefel goldbraun gefärbten Pracht plätscherte und müffelte wie seit Urzeiten vor sich hin. Zwei Radfahrer auf großer Reise, wie man an den ausgebeulten Satteltaschen unschwer erkennen konnte, füllten Plastikflaschen mit dem von der Wissenschaft bestätigten, gesund sein sollenden Naß der Quelle.

Das tiefschürfende Gespräch der beiden Liebenden hatte sich an dem Thema Kunst festgefressen, wobei Herr Schweitzer wegen nur geringer Ahnung lediglich durch geschickt eingeworfene Gemeinplätze zu glänzen wußte.

Eine Stunde später ließ ein vermeintlich fernes Grollen die Herrschaften in ihrem Geplauder innehalten. Auch war unmerklich ein leichter Nordwest aufgezogen. Gleichzeitig schauten Maria und Simon Schweitzer nach oben durch das Blattwerk der Wipfel. Das Ultra war dem einst ultramarinblauen Himmel verlustig gegangen, und auch das Blau war einer regnerischen Gräue gewichen. Es tröpfelte. Es regnete. Es goß in Strömen. Da half kein Wehklagen. Klitschnaß erreichten unsere Protagonisten Marias Heim auf dem Lerchesberg.

Nachdem man ausgiebig geduscht hatte, saß man auf dem Sofa

und trank heißen Tee, serviert in einem tönernen chinesischen Teeservice. Zu den Nachrichten schaltete Maria den Fernseher ein. Der real existierende Ministerpräsident Hessens lächelte sein Kalküllächeln, das kaum noch jemanden täuschte, und brabbelte etwas von guten Chancen bei bevorstehenden Wahlen. Im Schwarzbachfall hatte man eine dringlich der Tat verdächtigte Person inhaftiert. Der Wetterbericht sah schwere Gewitter für die Abendstunden voraus.

„Aha", sagte Herr Schweitzer, „wenn die vom Wetterdienst in Offenbach einfach mal nur aus dem Fenster schauen würden, könnten sie ihre Trefferquote deutlich erhöhen."

„Ja schon, aber was machen sie dann mit all den teuren Satelliten, die ihnen die Wetterlage senden?"

Da war selbst ein Simon Schweitzer überfragt, aber seine Gedanken beschäftigten sich sowieso schon mit der Frage, wer denn nun der Mörder Klaus-Dieter Schwarzbachs sein sollte, den man laut Nachrichtensprecher angeblich verhaftet hatte. Es würde ihn nicht wundern, wenn sich der Verdacht mal wieder als Schuß in den Ofen entpuppen sollte. Man hatte da so seine Empirie.

Herr Schweitzer freute sich schon auf einen weiteren Abend mit seiner Maria, als diese ihm mitteilte, daß ihr ein Geschäftsessen im Frankfurter Hof bevorstehe, bei dem ein Sondierungsgespräch über eine geplante Sonderausstellung ihrer Skulpturen im südafrikanischen Nationalmuseum von Kapstadt stattfinden sollte. Es gehe um sehr viel Geld. Aber so er, Simon, wolle, könne er ja mitkommen. Er lehnte dankend ab, solche Veranstaltungen seien in der Regel doch sehr steif und somit nichts für ihn, der zeit seines Lebens den mediterranen Frohsinn bevorzugte. In Wirklichkeit hätte er im Falle einer weiteren Dosis Kunst nicht für gute Laune seinerseits garantieren können. So verabredete man sich locker für später entweder im Weinfaß oder im Frühzecher. Vielleicht ließen sich dort auch nähere Umstände über die Verhaftung des Übeltäters im Schwarzbachfall erfahren. Hoffte Simon Schweitzer.

Doch zuvor mußte er noch mit Marias Haarfön seine Klamotten trocknen. Ein mühseliges Unterfangen.

Eine Stunde später tobte noch immer der Sturm, so daß Herr Schweitzer gezwungen war, ein Taxi zu ordern.

Zu Hause hatte Daniel Fürchtegott Meister die Nachricht auf

dem Anrufbeantworter hinterlassen, daß man ihren gemeinsamen Freund Guntram Hollerbusch wegen Mordverdachtes an dem Frankfurter Stadtverordneten Schwarzbach festgenommen habe. Simon Schweitzer schüttelte ungläubig den Kopf und hörte sich die Nachricht ein zweites Mal an. Es bestand kein Zweifel, der Schwachsinn hatte Formen angenommen. Es wurde Zeit, befand Herr Schweitzer, Licht in das Dunkel zu bringen.

Er entledigte sich seiner noch immer klammfeuchten Klamotten und besah sich in Unterhose das Kühlschrankinnere. Ein paar eingefallene Salatreste von Lauras vorgestriger Geburtstagsfete ergaben im Verbund mit der gähnenden Leere ein definitiv unpittoreskes Bild von Tristesse. Herrn Schweitzers nach dem Beischlaf frisch zementiertes Selbstbewußtsein war damit aber nicht beizukommen. In jeder Leere liegt auch die Chance zu einem Neubeginn, sagte er sich fröhlich, schloß die Kühlschranktür und ging erst mal einkaufen.

Sein frugales Mahl bestand aus mit dünnen Salatgurkenscheiben belegtem Knäckebrot. Simon Schweitzer wollte damit ein Zeichen setzen und eine Diät beginnen, um dem Idealbild eines feurigen Liebhabers ein Stück weit entgegen zu gehen.

Für Laura hatte er spanische Chorizo und einen hundertundzwanzigprozentigen Fettkäse mitgebracht. Da Herr Schweitzer weder wußte wann und ob seine Mitbewohnerin nach Hause kam, legte er einen Zettel auf den Küchentisch, mit dem er auf die Leckereien im Kühlschrank hinwies. Er kam sich vor wie ein Schuft, schließlich hatte Laura auch so ihre Problemzonen. Und das war nicht gut so, er wollte kein Schuft sein. Er nahm sich die Hälfte der Chorizoscheiben, bestrich sie reichlich mit scharfem Löwensenf und verschlang sie ohne Beilage. Sein Magen dankte knurrend. Er erklärte die noch junge Diät für beendet, weil er felsenfest davon überzeugt war, dergestalt mit seinem Geiste zu brillieren, daß eine mögliche Adonisfigur sowieso vollkommen unbemerkt bliebe. Und da er schon mal dabei war, vertilgte er noch hurtig den Käse und den Rest der Chorizo. Er fühlte sich bestens. Laura blieben ja noch die Reste der kalorienarmen Salatgurke.

Punkt neun betrat Simon Schweitzer trockenen Fußes das Weinfaß. Er hatte eine Regenpause erwischt. Er war baß erstaunt, als er am Tresen eine heulende Karin erblickte, flankiert von

Bertha und einer Dame, die er schon mal gesehen zu haben glaubte. Zumindest die Physiognomie kam ihm sattsam bekannt vor. Umgekehrt schien es sich ähnlich zu verhalten, denn die Dame hatte sich von Karin abgewandt und glotzte Simon Schweitzer an.

„Hallo Simon, da kommst du ja gerade recht", begrüßte ihn Bertha lauter als nötig, und bei der Dame mit dem irren Blick fiel der Groschen.

„Simon. Simon Schweitzer. Du hast dich ja überhaupt nicht verändert."

Wie war das denn jetzt zu verstehen? Hieß das vielleicht, daß er schon früher zur Korpulenz neigte oder daß er dank dem Ausbleiben von speziestypischen Haarausfall noch immer juvenile Gesichtszüge besaß und leicht wiederzuerkennen war? Und seit wann hatte er sich nicht verändert? Wer war die Dame überhaupt, die ihm so bekannt vorkam?

Und dann fiel es ihm wie Schuppen von den Haaren: „Hannelore. Mensch, Hannelore. Ich hätte dich fast nicht wiedererkannt. Wie lange ist das her, seit wir uns das letzte Mal gesehen haben? Zwanzig Jahre? Nein, länger."

In diesem Augenblick war ein weiteres Aufflammen des Karinschen Geflennes zu vernehmen. Der Aufwand hatte sich gelohnt, die Aufmerksamkeit ihrer zwei Jahre älteren Schwester Hannelore war ihr wieder sicher.

Doch die Schankwirtin Bertha war aus einem robusteren Holze geschnitzt. Weibliches Geheule ging ihr seit jeher auf die Nerven, und so war sie froh, als Simon Schweitzer die Bühne des Weinfaßes betreten hatte. „Was magst du trinken?"

„Ach, irgendwas halt", entgegnete er leichthin. Herr Schweitzer hatte von seiner Postkopulationseuphorie noch nichts eingebüßt. „Am besten etwas mit Trauben drin."

Bertha schüttelte den Kopf. „Meint der Herr vielleicht Wein?"

Der Herr nickte.

„Ich hab gehört, du hast Maria jetzt flachgelegt", deklamierte Bertha und sah Herrn Schweitzer herausfordernd an.

Dieser war in der Tat schockiert. Nicht über der Wirtin Ausdrucksweise, sondern über den Umstand, daß sie darüber Bescheid wußte. Wie war das möglich? Hatte sie jemand beim Spa-ziergang zum Königsbrünnchen beobachtet? Gottlob waren keine weiteren Gäste anwesend.

„Der Guntram kann doch keiner Fliege was zuleide tun", jammerte Karin Schwarzbach. Dann schneuzte sie in das Taschentuch, das ihre Schwester ihr unter die Nase hielt.

Herr Schweitzer war eben noch mit dem Phänomen Bertha beschäftigt, und schon mußte er sich fragen, welcher Guntram welcher Fliege nichts zuleide tun kann. Die Dinge standen kopf und er mußte sich mit einer nicht unbedeutenden Desorientierung herumschlagen. Er räusperte sich und nahm sich vor, dem Chaos die Stirn zu bieten. Als erstes nahm er das Glas entgegen, welches Bertha ihm reichte. Damit war schon mal die Verköstigungsfrage für die nächste halbe Stunde geklärt. So.

Die Frage, wem oder was er sich als nächstes zuwenden sollte, erübrigte sich, als Bertha nachhakte: „Was ist jetzt, hast du Maria flachgelegt oder was?"

„Logisch. Du kennst mich doch. Ich leg immer alles flach, was bei Drei nicht auf den Bäumen ist", ging Herr Schweitzer beherzt in die Offensive.

„Mich noch nicht", meinte Bertha, und Simon Schweitzer schien es, als würde eine Spur Resignation in ihrer Stimme mitschwingen.

„Der Guntram doch nicht. Ein so lieber Kerl." Es war wieder Karin, die den unzusammenhängenden Blödsinn von sich gab.

Doch so ganz unzusammenhängend und unsinnig war es nun doch wieder nicht, denn der Schweitzer-Simon erinnerte sich der Nachricht von Daniel Fürchtegott auf seinem Anrufbeantworter, die da lautete, daß man Apostel Guntram Hollerbusch verhaftet habe. Er hätte jetzt fragen können, ja eigentlich lag die Frage quasi auf der Hand, ob es denn stimme, daß man den Hollerbusch verhaftet habe, und dann konstatieren müssen, daß dies, falls es wahr sei, eine himmelschreiende Schande wäre. Doch statt dessen fragte er, ohne recht zu wissen warum: „Sag mal Karin, Maria hat mir erzählt, Daniel Fürchtegott wäre in letzter Zeit ein paarmal bei euch gewesen. Stimmt das?"

Karin wischte sich die Tränen mit einer Papierserviette ab und sagte: „Ja, ein paarmal. Nachmittags. Er wollte Klaus-Dieter sprechen, der war natürlich nie da. Ich hab ihm immer was zu essen gegeben. Er sah ja fürchterlich aus. Aber Guntram haben sie verhaftet. Nicht den Daniel. Ihr versteht nicht. Guntram soll Klaus-Dieter umgebracht haben. Aus Eifersucht. Wegen mir. Das kann doch nicht wahr sein. Wir hatten doch nie was miteinander, Guntram und ich." Es folgte eine weitere Tränenkaskade.

Bertha verdrehte die Augen nach oben und wischte mit energischen Bewegungen den Tresen dort trocken, wo Karin zu Gange war. Man sah ihr die Schwere ihrer Arbeit an.

Als Karin sich unter gütiger Mithilfe ihrer Schwester wieder beruhigt hatte, trat eine unerwartete Stille ein, in der man das Prasseln der Regentropfen gegen die Schaufensterscheibe hören konnte. Obzwar der Sonnenuntergang noch lange nicht abgewikkelt war, hatten die Autos schon die Scheinwerfer eingeschaltet, um das unheimliche Dunkel zu durchdringen. Trotz oder vielleicht gerade wegen der schwachen Dämmerbeleuchtung vermittelte das Weinfaß seinen Gästen ein Gefühl der Geborgenheit, wie man es sonst von einem Wohnzimmer erwartete. Herr Schweitzer verspürte ein Bedürfnis nach Marias Anwesenheit, das ihn selbst zumindest in seiner Intensität überraschte. Vielleicht würde er sie ja heute noch wiedersehen. Er bereute es, nicht in den Frankfurter Hof mitgegangen zu sein. Mit starrem Blick ließ er sich von den munteren Lichtspielen faszinieren, die der Regen auf die Scheibe zauberte.

„Jetzt aber mal ganz ehrlich, Simon. Glaubst du allen Ernstes, daß Guntram etwas mit dem Mord an Klaus-Dieter zu tun haben könnte. Ich meine, ich kenne ihn ja auch, wenn auch nicht so gut wie ihr", durchbrach Hannelore die melancholische Stille.

„Da muß man sich schon wundern, wen die Polizei so alles verhaftet", schloß sich Bertha den Worten ihrer Vorrednerin an. „Der Guntram wäre zu so was nie und nimmer fähig. Da verwett ich meinen Arsch drauf."

Herr Schweitzer drehte seinen Kopf und erblickte drei erwartungsfrohe Augenpaare. Man legte offensichtlich gesteigerten Wert auf seine Meinung. Ja, es war eindeutig sein Tag. Er fühlte sich als maßgeblicher Bestandteil des sozialen Sachsenhäuser Gemeinwesens, und es war klar, daß von ihm nun einige Takte zum Kriminalfall Schwarzbach erwartet wurden.

„Ich glaube, ihr habt recht", war zwar nichts, mit dem Konfuzius zu glänzen gewußt hätte, aber es traf in seiner Schlichtheit des Pudels Kern.

Ein Nicken ging durch die Runde.

Herr Schweitzer, ganz der mündige Bürger, als den er sich selbst betrachtete, fuhr fort: „Weiß jemand, ob Guntram einen

Rechtsanwalt hat?“

Allgemeine Ratlosigkeit.

„Ich kümmere mich morgen drum“, entfuhr es Karin, und Bertha ließ vor Schreck ein leeres Glas fallen.

Das war jetzt nun wirklich erstaunlich, aber möglicherweise verhält es sich tatsächlich so, daß Menschen, die mit den Nerven gar arg herunter sind, oft nur eine Aufgabe brauchen, um sich selbst aus dem Schlamassel herauszuziehen.

„Das ist eine tolle Idee, Schwesterherz“, pflichtete Hannelore bei und erstickte damit jeden Widerspruch im Keim.

Herr Schweitzer, sowieso ein großer Psychologe vor dem Herrn, unterstützte den Genesungsprozeß, indem er sagte: „Jawohl. Ich glaube, Guntram wäre sehr gerührt, wenn er wüßte, daß er Freunde hat, auf die er sich in der Stunde der Not verlassen kann.“

Er war sich im klaren darüber, daß dies jetzt sehr schwülstig geklungen haben mußte, aber Pathos war schon oft ein probates Mittel gegen Niedergeschlagenheit. Und bei Karin schien die feierliche Ergriffenheit ja zu fruchten. „Genau. Gleich morgen mach ich mich an die Arbeit.“

Dann erörterte man noch die Kompetenz einiger Sachsenhäuser Anwaltskanzleien, und am Ende standen derer drei auf einer Liste, die sich Karin Schwarzbach in die Handtasche steckte.

Gegen elf war die Sonne auch offiziell unter den Horizont gerutscht, das Weinfaß hatte sich gefüllt, Karin und Hannelore hatten den Heimweg angetreten, und Herr Schweitzer bestellte wegen des Wetters erneut ein Taxi. Vielleicht würde er Maria ja im Frühzecher treffen.

Maria war natürlich noch nicht da. Aber das hatte Simon Schweitzer auch nicht wirklich erwartet, schließlich zogen sich Geschäftsessen immerfort in unangenehme Längen. Aus der Musikbox, eine Hinterlassenschaft des früheren Pächters, drang die piepsende Stimme eines Hitparadensternchens, das durch die permanente Repetition des gleichen Schwachsinns bereits seelischen Schaden genommen hatte. Ich lieb dich so, und du bist mein. Man kennt das ja.

Der Frühzecher war gut besucht, die schwüle Tropenluft nikotingeschwängert. Am Tresen hatte sich ein Panoptikum Sachsenhäuser Skurrilitäten versammelt, wie es in dieser Zusammenstellung Seltenheitswert besaß. Ganz links knutschte ein

Schwulenpärchen, welches als Ganzes genommen in etwa das Gewicht einer Dampfwalze aufbieten konnte. Die Arschbacken quollen an der Barhockersitzfläche wie große schwere Wachstropfen herunter. Danach kam Knallhart-Peter, der sommers wie winters zu Hause und in freier Wildbahn lediglich mit einem T-Shirt bekleidet herumlief. Als wäre das nicht genug, schlief er, sofern kein Niederschlag fiel, auch noch auf dem Balkon seiner Wohnung in einem Hochhaus in der Mailänder Straße. Seltsamerweise hatte ihn neulich seine Frau verlassen. Außerdem war er Eintracht-Fan, und so trank er, um diese Pechsträhne zu verkraften. Heute hatte er schon viel getrunken. Die Schieflage war immens. Dann kamen Herbert und Else und Else. Die waren fast immer hier. Nur im August nicht. Da waren sie am Lago Maggiore. Campen. Immer. Herbert und Else trugen funktionale Sportkleidung, dazu passende weiße Tennissocken in Badelatschen. Herbert und Else redeten nie viel. Nicht umsonst war man schon seit vierzig Jahren verheiratet. Zwischen Herbert und Else saß Else auf einem Barhocker. Das wurde hier so geduldet. Else war ein Rauhhaardackel und wurde von Herbert vor langer Zeit der Einfachheit halber auf den Namen Else getauft. Das stellte kein Problem dar. Wenn Herbert zum Beispiel sagte: „Else, laß uns nach Hause gehen", wurde das von beiden Elsen verstanden und ausgeführt. Daran schlossen sich noch drei malende Künstler an, die so schlecht waren, daß sie schon wieder Geld verdienten, ehe Herr Schweitzers Blick auf Frederik Funkal stieß. Daneben, ganz rechts also, war noch ein freier Barhocker. Simon Schweitzer setzte sich.

„Setz dich doch", empfing ihn der Polizeiobermeister, der schon ganz schön einen sitzen hatte.

„Ich sitz doch schon", erwiderte Herr Schweitzer.

„Natürlich. Ist ja auch frei, der Hocker." Die Anzahl der Striche auf Funkals Bierdeckel war stattlich.

Das hatte Simon Schweitzer auf einen Blick erkannt. Außerdem waren des Polizeiobermeisters Kommunikationsbeiträge bis dato doch recht albern gewesen. Dem Herrn Schweitzer selbst allerdings war es unklar, wie er ein wenig Niveau in die Chose hätte bringen können. Schließlich hatte er unlängst eine Liebschaft begonnen, und auch sonst schwirrten allerhand unausgegorene Gedankenfetzen in seinem Hirn herum. Auch war da ja noch Karin Schwarzbachs seltsamer Auftritt eben im Weinfaß aufzuarbeiten. Er hatte es als Sachsenhäuser kompetenteste Denkfabrik im Augenblick nicht leicht, das war mal klar. Zur Sicherheit bestellte er bei René, der nicht nur der hohen Luftfeuchtigkeit wegen heftig transpirierte, ein großes Bier.

Und als es dann kam, genoß er es wie selten einen Gerstensaft zuvor. Zum Glück war auch Funkal meditativ tätig, so konnte Herr Schweitzer ein wenig Ordnung in seine Gefühls- und Gedankenwelt bringen. Immerhin eine halbe Stunde lang, dann meldete sich der Polizist wieder zu Wort: „Scheißjob."

Simon Schweitzer wußte so ad hoc nichts darauf zu erwidern. Von links hörte er: „Else, wir gehen." Daraufhin sprang der Rauhhaardackel vom Hocker und die Frau auch.

„Scheißjob?"

„Genau. Polizei ist ein Scheißjob. Weiß doch jeder."

Die Gelegenheit war günstig. Herr Schweitzer fragte: „Warum habt ihr eigentlich den Hollerbusch verhaftet? Das ist doch vollkommen bescheuert."

„Wieso ihr? Ich hab mal niemanden verhaftet. Die vom BKA stehen mal wieder auf der Leitung und schnallen gar nix." Bei den letzten Worten hatte sich Funkals Zeigefinger in Simon Schweitzers Oberarm gebohrt.

„Heißt das, du weißt, daß unser Pfarrer damit nichts zu tun hat?"

Frederik Funkal betrachtete nun eingehend den Herrn Schweitzer, als gelte es, ein Staatsgeheimnis preiszugeben, wobei allerdings der Empfänger der Botschaft noch gewissenhaft auf Staatstreue und Loyalität zu überprüfen sei. Gegen Simon Schweitzer lagen offenbar keine Bedenken vor, und der Polizist beantwortete die Frage: „Ja. Guntram Hollerbusch ist völlig unschuldig."

„Aber warum wird er dann nicht wieder freigelassen?"

Das war eine gute Frage. Funkal versteifte sich wieder aufs Schweigen. Stumm orderte er ein frisches Bier. Herr Schweitzer zweifelte daran, ob es wirklich klug sei, seine Frage zu wiederholen. Auch spielte er mit dem Gedanken, René unauffällig zu bitten, dem Polizeiobermeister fürderhin nur noch alkoholfreies Bier zu servieren, ohne daß dieser davon etwas mitbekäme. Simon Schweitzers untrügliches Gefühl sagte ihm, daß hier noch mehr drin war, daß Frederik Funkal ein Geheimnis mit sich trug, welches für die Aufklärung des Schwarzbachfalls nützlich sein könnte. Doch in dem Trunkenheitsgrad Funkals konnte ebenso Fährnis lauern wie in einer unbedachten Vorgehensweise Simon Schweitzers. Man war an einem Heikelpunkt angelangt.

Herrn Schweitzer blieb nichts anderes übrig, als seiner Intuition zu vertrauen. Und diese empfahl ihm dringend, einfach nur abzuwarten. Er bestellte ein neues Bier. Die Zeit nutzte er, indem er die letzten Begegnungen mit dem Polizisten Revue passieren ließ. Und so peu à peu erarbeitete er ein paar Fragen, die einer Klärung bedurften. War es zum Beispiel die Regel, daß einem simplen Polizeiobermeister Ermittlungsergebnisse vom Bundeskriminalamt bekannt sein konnten, bevor die Presse davon erfuhr? Wenn er, Herr Schweitzer, sich richtig erinnerte, wußte Frederik schon letzten Donnerstag, daß die vor einundzwanzig Jahren an der Startbahn West ermordeten Polizeibeamten mit derselben Waffe wie der Frankfurter Stadtverordnete erschossen worden waren. Funkal hatte sich darüber lustig gemacht, wie Klaus-Dieter Schwarzbach es fertiggebracht haben mochte, sich erst zu erschießen, dann in alte Kleidung zu nähen und sich schließlich noch aufzuhängen. Simon Schweitzer wußte wenig über Polizeiarbeit an sich und über das besondere Verhältnis des Bundeskriminalamtes zu den einzelnen Polizeirevieren, aber trotzdem ahnte er, daß hier etwas nicht mit rechten Dingen zuging. Und wenn er jetzt die falsche Frage stellte, würde sich Frederik möglicherweise in sein Schneckenhaus zurückziehen und auf ewig schweigen. Und dann könnte er, Simon Schweitzer, die Kastanien womöglich nie aus dem Feuer holen, und Apostel Hollerbusch wäre für den Rest seines Lebens bei Wasser und Brot im Kerker eingepfercht. Dazu durfte es nicht kommen. Ihm deuchte, daß er jetzt sehr, sehr behutsam vorgehen mußte, um die Aufklärung nicht zu gefährden.

Also nahm Herr Schweitzer den Faden wieder auf: „Scheißjob."

„Was?" Funkal war sichtlich irritiert.

„Na, Polizei. Wenn man nicht mal unschuldige Pfarrer auf freien Fuß setzen darf."

„Wer sagt das denn?"

„Na du. In gewisser Weise."

Der Polizeiobermeister fing an nachzudenken. An der furchigen Stirn erkannte Simon Schweitzer die Intensität des Vorganges. Nach einer Weile beäugte Funkal den Herrn Schweitzer und schien ihn abermals auf Vertrauenswürdigkeit zu prüfen. Dann sprach er: „Das mit dem Pfarrer ist scheiße. Daran ist nur der Hansen schuld.“

Who the fuck is Hansen? „Wer ist Hansen?“

„Hansen. Paule Hansen. Unser Revierleiter.“ Frederik beugte sich ganz nah an Simon Schweitzers Ohr und flüsterte: „Der hat nämlich den Schwarzbach abgemurkst, verstehst du?“

Das war ungeheuerlich. Augenblicklich richtete sich Herr Schweitzer kerzengerade auf, als könne er damit weiteres Unheil von seinem linken Ohr fernhalten, und blickte in die leicht rot geäderten Augen Funkals. Das rechte zwinkerte ihm kumpelhaft zu. Die Neugier marginalisierte den Schrecken. Jetzt war es Simon Schweitzer, der sich zu dem Polizeiobermeister beugte und im Flüsterton sprach: „Du meinst, Paule Hansen hat Schwarzbach, zack, abgemurkst?“

„Sag ich doch.“

So, das wäre also geklärt. Herr Schweitzer bemühte sich um einen Gesichtsausdruck, der signalisieren sollte, daß es sehr dumm von ihm war, nicht schon eher drauf gekommen zu sein. „Soso, der Paule Hansen also. Alter Schlingel aber auch. Warum eigentlich?“

„Warum was?“

„Na, warum hat Paule den Schwarzbach ins Jenseits befördert. Doch nicht aus Jux und Dollerei.“

„Nee, natürlich nicht. Aber das jetzt zu erklären, würde den Rahmen sprengen“, dozierte Frederik erstaunlich nüchtern und auch ein wenig genant.

„Versuch's doch einfach mal.“

„Aber nicht weitersagen, okay?“

„Wenn du dafür sorgst, daß man den Guntram frei läßt.“

Herr Schweitzer war gespannt wie ein Flitzebogen. Der Polizeiobermeister verfiel erneut ins Grübeln. Dann sagte er: „Versprechen kann ich das nicht, aber ich werde mir Mühe geben, okay?“

Simon Schweitzer nickte.

„Paule Hansen hatte mal zwei Kumpels. Prima Kumpels. Wurden leider ermordet. Vor einundzwanzig Jahren. Draußen an der Startbahn West. Du erinnerst dich?“

Und ob. Herr Schweitzer bejahte.

„Ich war ja damals noch nicht bei dem Verein. Auf alle Fälle kam vor ungefähr zwei Wochen ein anonymer Anruf, der uns mitteilte, daß Klaus-Dieter Schwarzbach der Mörder der zwei Polizisten und die Tatwaffe noch in seinem Besitz sei. Der Anrufer erzählte auch, wo man die Waffe, eine Mauser, finden könne. In einem Versteck in Schwarzbachs Garten."

Simon Schweitzers Kinnlade war vor Staunen heruntergerutscht.

„Jetzt krieg dich mal wieder ein, Amigo", scherzte der Polizeiobermeister, als er Simon Schweitzers entsetzte Miene sah. „Und so schleicht sich Paule nachts in den Garten, findet die Pistole und hat null Bock, den Stadtverordneten zu verhaften."

„Nein?"

„Nein. Statt dessen fährt er vorletzten Freitag mit zwei Kollegen von damals, die heute im Bahnhofsviertel Dienst schieben, zum Rathaus, fängt Schwarzbach ab und bittet ihn mitzukommen, es gehe um eine Aussage in der Spendenaffäre."

„So einfach geht das?"

„Manchmal schon. Und Spendenaffären gibt's alle naslang. Schwarzbach ahnt natürlich nichts. Im Revier wird er dann, ehe er sich's versieht, in die Arrestzelle gesperrt. Da war ich noch dabei. Muß so gegen fünf Uhr abends gewesen sein. Dienstschluß hatte ich um sechs."

Herr Schweitzer hielt es nicht mehr aus. Ausgerechnet jetzt mußte er pinkeln. Als er zurück war, standen zwei frisch gezapfte Pils vor ihnen. „Und was ist dann passiert?"

„Tja, dann." Frederik Funkal legte der Wirkung wegen eine Kunstpause ein. „Dann sind die Dinge irgendwie aus dem Ruder gelaufen. Ursprünglich wollte Paule Hansen das Ganze wie einen Selbstmord aussehen lassen. So in der Art, Polizistenmörder sieht keinen anderen Ausweg mehr und erschießt sich. Aber er hatte wohl selbst nicht mit seinem Haß gerechnet. Sie, das heißt Hansen und seine zwei Freunde haben Schwarzbach dann exekutiert. Wo, weiß ich nicht. Auf alle Fälle hatte unser werter Stadtverordneter dann ein paar Kugeln zu viel im Leib, als daß es wie ein klassischer Suizid hätte gelten können."

Herr Schweitzer wartete, daß der Polizeiobermeister fortfuhr. Tat er aber nicht. Saß einfach nur da und grinste. Aber Simon Schweitzer war noch nicht zufrieden. „Und weiter?"

„Wie weiter?"

„Na, wie kommt Klaus-Dieter dann in die Kleider einer

Strohpuppe?“

„Vielleicht war er ja nach seinem Tod noch einkaufen.“

„Glaub ich nicht.“

„Nein?“

„Nein.“

„Na gut. Paule ist ein guter Polizist und ein großer Spaßvogel. Als guter Polizist wußte er, daß er noch Zeit brauchte, um ein paar Spuren nach dem Massaker zu verwischen, und als Spaßvogel verhalf er der Leiche zu einer gelungenen Tarnung. Oder Alternatividentität, wenn du so willst. Ich bewundere Paule.“

„Aber er ist ein Mörder.“

„Och. Nicht unbedingt. Zu was würdest du dir wünschen fähig zu sein, wenn man deine Freundin oder sonst jemanden, der dir sehr nahe steht, umbringen würde?“

Herr Schweitzer sagte nichts. Er erinnerte sich an damals. An die aufgeheizte Stimmung bei den Demos. Einige hätten damals bereitwillig zur Waffe gegriffen, hätte sich die Gelegenheit geboten. Und wären damit mehr auf dem Boden des Grundgesetzes gewesen als so manch korrupter Politiker, der nachts von einem Polizeistaat träumte. Simon Schweitzer rief sich seine eigene Wut ins Gedächtnis, fragte sich nicht zum ersten Mal, ob er selbst fähig gewesen wäre, jemanden zu erschießen. Nein, nein und nochmals nein, sagte er sich. Gewalt gehörte nicht zu seinem Repertoire. Aber auch nicht zu Schwarzbachs, oder?

Er antwortete: „Ich weiß nicht.“

„Na siehst du.“

Herr Schweitzer trank einen Schluck und wischte sich den Schaum von der Lippe.

„Wie fandest du die Geschichte?“

Zwei, drei Sekunden, mehr brauchte Simon Schweitzer nicht, um zu kapieren. „Gut. Und das beste an der Geschichte ist, niemand wird je irgendetwas davon beweisen können, selbst wenn er noch so akribisch und hartnäckig wäre. Und ihr von der Bullerei haltet sowieso zusammen.“

„Super, Simon.“ Frederik betrachtete eingehend seinen Bierdeckel mit den vielen Strichen drauf. „Meinst du nicht, ich habe mir die vielen Bierchen redlich verdient?“

„Was ist mit Guntram?“ fragte Herr Schweitzer beharrlich.

Der Polizeiobermeister wurde damit an etwas Unangenehmes erinnert, das sah man seinem Gesicht an. „Ich seh zu, was ich tun kann. Versprochen."

„Gut." Simon Schweitzer nahm den Deckel behufs späterer Begleichung entgegen und war sich sicher, daß Frederik Funkal tatsächlich alles in seiner Macht stehende tun würde, daß Guntram Hollerbusch bald wieder frei sein würde. Was er nicht wußte, war, daß der Apostel vom Bundeskriminalamt schon vor Stunden nach Hause gefahren worden war. Es lagen nicht die geringsten Beweise gegen ihn vor. Wie auch?

„Mach's gut, Simon. Ich geh nach Hause." Beim Aufstehen stützte er sich auf Simon Schweitzers Schulter.

„Ja."

Polizeiobermeister Frederik Funkal verließ den Frühzecher.

Da saß er nun, der Herr Schweitzer. Die Republik war eindeutig in ihren Grundfesten erschüttert, und niemand konnte das Rad der Geschichte zurückdrehen. Es herrschte Anarchie, und das Deprimierendste daran war, daß Simon Schweitzer früher zwar ein großer Verfechter dieser ultraliberalen Gesellschaftsform war, nun aber sich so gar nicht wohl fühlte. Er sehnte sich nach Ordnung und haßte sich gleichzeitig dafür. Er war alt geworden. Genau das war es, was er fühlte, das Alter. Seine Schultern waren eingesunken. Er erschrak heftig, als ihm jemand von hinten die Augen zuhielt.

„Maria?"

„Schlauberger."

Herr Schweitzer drehte sich um, sein Kopf wurde zwischen zwei Händen leicht gedrückt, und er erhielt einen Kuß, der viel Liebe beinhaltete.

Marias nasses Haar bezeugte die Wetterbeständigkeit. Sie schüttelte es und fuhr sich mit den Fingern ordnend durch die Strähnen.

„Regnet es noch?" fragte Herr Schweitzer geistesabwesend.

„Oh, täusch ich mich, oder hab ich mir tatsächlich eine Intelligenzbestie an Land gezogen?"

Simon Schweitzer war noch so gänzlich von des Polizeiobermeisters Ausführungen paralysiert, als daß er Marias hintergründigen Humor zur Kenntnis hätte nehmen können. Und das, obschon er sich selbst für einen großen Liebhaber feinsinnigen Humors hielt. Aber alles zu seiner Zeit. Momentan tobte das Chaos in dem Herrn Schweitzer.

„Wie ist das Geschäftsessen verlaufen?" fragte er.

„Eher nicht so gut." Maria hatte Renés Blick erheischt und gestikulierte nach einem Gerstensaft. „Der Typ war ein Hochstapler, wie ich ihn noch nicht erlebt habe. Dachte, er bekäme meine Skulpturen umsonst und würde mir damit noch etwas Gutes tun, weil ich dadurch endlich zu Publicity käme. Aber vergessen wir den Schwachkopf. Immerhin hat er das Essen bezahlt, und das war klasse."

„Magst du mit zu mir kommen?"

Diese Frage kam jetzt etwas unvermittelt, damit hatte Maria überhaupt nicht gerechnet. „Du bist so abwesend, Simon. Ist was passiert?"

René brachte das Bier. Herr Schweitzer hielt ihm den Deckel hin, auf dem Frederik Funkals Konsum archiviert war, und der Wirt fügte einen weiteren Strich hinzu.

„Ja. Eine ganze Menge ist passiert. Aber das kann ich dir hier nicht erzählen. Es hat mit dem Tod von Klaus-Dieter zu tun."

„Gut. Dann laß uns zu dir gehen. Wir machen es uns gemütlich, und du erzählst mir, was dich bedrückt."

Das war genau nach Herrn Schweitzers Geschmack. Eine immense Sehnsucht nach Ruhe und Geborgenheit hatte ihn heimgesucht. Er gab René ein Zeichen, daß er zahlen wollte.

„Macht sechsunddreißig Euro."

„So viel?"

„Frederik war heute gut aufgelegt. Und außerdem bekommst du für den Preis noch eine Leinenjacke dazu. Dürfte dir sogar passen, ist eine große Nummer. Vier mal X und L oder so."

„Pah. Mach trotzdem achtunddreißig."

„Danke. Warte, ich bring dir deine Jacke."

Als Maria und Simon Schweitzer vor die Tür traten, war er froh über seine Leinenjacke, die er heute nirgendwo mehr vergessen konnte. Das Unwetter hatte dem Kessel, in dem Frankfurt lag, eine spürbare Linderung verschafft. Ja, es war sogar etwas frisch, doch es regnete nicht mehr. Ergo ging man zu Fuß, vielen Pfützen ausweichend. Man machte sich ein Pläsier daraus, den jeweils anderen erst um die Hindernisse zu lotsen, um ihm dann unerwartet einen Schubs zu geben, so daß man abwechselnd in den Wasserlachen stand. Es wurde viel gekichert, und so glitt Herr Schweitzer langsam aus der ruchlosen Welt von Mord und Totschlag in eine bessere, in der Maria und damit einhergehend allerlei Liebe auf ihn wartete. Der Heimweg hätte ewig dauern können.

Doch wie das so ist im Leben, plötzlich steht man vor der Haustür. Simon Schweitzer entdeckte unter einem der linken Fenster einen Graffito. Sbaronx oder Sberoux oder was auch immer, prangte dort gesellschaftsherausfordernd in schwungvoller roter Schrift.

„Da wird mein Hausmeister morgen aber ganz schön fluchen", meinte Herr Schweitzer und deutete auf den Schriftzug.

„Das ist aber auch wirklich nicht hübsch."

„Ja, schon. Aber Heinz Rybelka wird das wieder als kommunistischen Angriff auf ein deutsches Großreich interpretieren und dann den Vorschlag machen, dieses Gesocks doch bitteschön an die Wand zu stellen."

„Hört sich nach Blockwart an."

„Rybelka ist quasi ein Bilderbuchblockwart alter Schule."

Oben hing der Seehund am Bord, und so schlichen sich die beiden in Simon Schweitzers Zimmer. Der Gastgeber trieb im Vorratsschrank noch eine Dose Erdnüsse und eine Flasche Tonicwater auf. Keinen Alkohol mehr, heute. In Unterwäsche machte man es sich auf dem Bett bequem, und Simon Schweitzer erzählte die Geschichte um den Tod Schwarzbachs, ohne zu sehr ins Detail zu gehen. Ganz vage umriß er den Umstand, daß der Startbahnmörder nun seinerseits von der Vergangenheit eingeholt und dahingemeuchelt worden ist. Und zwar von Polizeiorganen höchstselbst.

„Das ist ja ein Ding. Weiß Karin davon?"

„Nein, natürlich nicht. Auch ich weiß nichts davon. Keiner weiß davon. Es gibt nicht den geringsten Beweis, und den wird es auch nie geben. Das ist ja das Unheimliche." Herrn Schweitzer verlangte es stark nach ein paar Streicheleinheiten, aber das hätte zum jetzigen Zeitpunkt zu sehr nach Angst vor ebendiesem Unheimlichen ausgesehen. Das ging auf keinen Fall.

„Ach, du Ärmster", sprach Maria und schmiegte sich geschlechterrollengerecht an Simon Schweitzer. „Das muß dich doch sehr mitnehmen."

„Geht so."

Späterhin, nach dem Verzehr der Erdnüsse, legte man noch einen formvollendeten Sexualakt hin, und dann war Ruhe im Karton. Das heißt, nicht ganz, denn Maria schlief zwar, doch Herr Schweitzer wurde von Gespenstern in Strohpuppenbekleidung heimgesucht und schreckte oft aus dem Schlaf auf.

Zum Sonnenaufgang schlief Simon Schweitzer dann doch noch ein. Als er aufwachte, begrüßte ihn ein nahezu elysischer Morgen. Keine Spur von Wolkenbildung oder blödem Regen. Sein Bijou schlummerte noch selig, jedoch mit ersten Anzeichen von Erwachen wie unruhiges Beinetreten. Herr Schweitzer lag auf dem Rücken und gönnte sich noch ein halbes Stündchen, in dem er der Schokoladenseite des Lebens gedachte. Der allgemeine Sittenverfall im einzelnen sowie der abgelebte Klaus-Dieter Schwarzbach im besonderen konnten noch warten. Ebenso der Apostel, der zwar noch Apostel, aber nicht mehr inhaftiert war, was Herr Schweitzer auch sogleich erfahren sollte. Das Telefon klingelte nämlich.

Es war Karin Schwarzbach, die ihm aufgeregt von der noch gestern abend erfolgten Freilassung Guntrams erzählte. Ob er noch keine Nachrichten gehört habe? Nein, habe er nicht. Dann wisse er auch noch nichts von der für morgen angesetzten Beisetzung ihres Gatten? Die forensische Medizin habe ihn jetzt freigegeben. Nein, auch davon höre er zum ersten Mal. Ob er denn wenigstens käme? Herr Schweitzer sagte Ja, um die psychische Genesung der labilen Karin nicht zu gefährden. Er war sich aber hundert pro sicher, daß er dieser verlogenen Veranstaltung fernbleiben würde. Auf zehn Uhr sei die Beerdigung terminiert. Er dankte, wünschte Guten Tag und legte auf.

Mit diesem Anruf war die Verbindung zu gestern und Frederik Funkal wieder hergestellt. Herr Schweitzer ging Kaffee kochen.

Bei der zweiten Tasse erschien die holde Maid. „Guten Morgen, Simon. Bist du schon lange auf?“

„Ein Stündchen vielleicht.“

„Gut, dann bist du ja ausgeschlafen.“

„Ja.“ Er erwähnte nichts von seinen Einschlafschwierigkeiten. Marias apartes Lächeln bereitete ihm Zuversicht.

„Was gibt’s zum Frühstück?“

Die Frage erinnerte ihn an die Unterschiedlichkeit der Menschen und die Kompromisse, die man in einer Beziehung einzugehen hatte. Während er, Simon Schweitzer, den Tag meist gemütlich begann, brauchte Maria sofort etwas Festes in den Magen, ansonsten konnte sie sehr unleidlich werden. Herr Schweitzer scheute keine Mühe: „Ich geh Brötchen holen. Du kannst ja derweil den Tisch decken.“

„Mach ich. Sag mal, hast du vielleicht eine Zahnbürste für mich?“

Anderthalb Stunden später, so gegen Mittag, war der Tisch krümelübersät, und Maria schenkte den letzten Rest Kaffee nach.

„Was machst du heute?“

„Ich weiß nicht.“ Herr Schweitzer hatte tatsächlich weder Plan noch Ahnung.

Maria hingegen schien in Schaffensfreude zu schwelgen. „Ich glaube, ich sollte mich heute künstlerisch austoben. Das Wetter ist traumhaft, meine Laune ist prächtig. Beste Voraussetzungen also.“

„Ja.“

„Du denkst immer noch an die Geschichte von gestern?“

Exakt das war es, was ihn beschäftigte. „Ja.“ Frederik Funkal hatte enorm viel Chaos verursacht.

Man verabredete sich für spätabends. Simon sollte anrufen, wenn ihm danach sei. Tschüß. Küßchen.

Die Tür war ins Schloß gefallen. Der Widerhall von Marias Schritten verebbte im Hausflur. Herr Schweitzer fühlte sich in der eingetretenen Stille auf sich selbst zurückgeworfen. Meistens war das nicht weiter tragisch, denn er war ja ein gestandenes Mannsbild, und den Widrigkeiten des Daseins hatte er generell etwas entgegen zu setzen. Doch die Ereignisse der letzten Tage hatten unseren Helden derart schnell und nachhaltig überrollt, daß ihm keine Zeit für Ordnung geblieben war, von Reflexion ganz zu schweigen. Kein kindlicher Maßstab von gerecht und ungerecht stand ihm im Wege, nein, er mußte einfach nur dringlich in seinem Kopf aufräumen, jeden Gedankenfetzen an den dafür vorgesehenen Ort plazieren, dann stellte sich auch der Überblick wieder ein.

Der Mensch weiß oft, was ihm hilfreich ist, allein, er muß sich überwinden, und das kostet Kraft. Davon war auch ein komplexes Gefüge, wie der Schweitzer-Simon eines war, nicht befreit. Das wußte er seit alters her. Folglich seufzte er schwer, zog sich die Schuhe an und begab sich auf den Weg zur Straßenbahnhaltestelle. Straßenbahn fahren macht nämlich frei. Nicht jeden, aber Simon Schweitzer.

Noch bevor er einstieg, es handelte sich diesmal um ein O-Tw-905-Zweirichtungsfahrzeug, hatte er Ballast wie seine neue

Beziehung über Bord geworfen. Einzig und allein dem Schwarzbachfall galt seine Aufmerksamkeit. Die Bahn fuhr an, Herr Schweitzer saß auf einem gekennzeichneten Behindertenplatz. Dann legte er los. Ganz von vorne, denn das war der Chronologie sehr nützlich. Mit Anfang war sein Spaziergang vor zehn Tagen gemeint, als er in den Sachsenhäuser Gärten auf dem Weg zum Goetheturm eine lieblich und sachte im leichten Winde schaukelnde Strohpuppe irrtümlich für eine lieblich und sachte im leichten Winde schaukelnde Strohpuppe gehalten hatte, und nicht für einen hinwegfüsilierten Stadtverordneten, dessen Mitstreiter er einst gewesen war.

Die Haltestelle Louisa wurde passiert, Kleingärten säumten die Gleise, und die Bahn tauchte in den Wald, wo das Gleisbett auf Schotter ruhte und das monotone Rattern der Räder rauher wurde.

Alles, was Polizeiobermeister Frederik Funkal, sein Kollege Odilo, Karin Schwarzbach, ihre Schwester Hannelore, Apostel Guntram Hollerbusch, der aus der Versenkung wieder aufgetauchte Daniel Fürchtegott Meister und viele andere im Laufe der letzten Tage von sich gegeben hatten, rief sich Herr Schweitzer ins Gedächtnis zurück, unabhängig von einer luziden Relevanz.

An der Endstation Neu-Isenburg blieb er einfach sitzen. Niemand kümmerte sich um ihn. Er selbst war früher immer noch einmal durch den Zug gelaufen, um vergessene Gegenstände einzusammeln. Ein Regenschirmmuseum hätte er auf seine alten Tage eröffnen können. Oder um Fahrgäste zu wecken, die warum auch immer eingeschlafen waren. Aber jetzt war er froh, daß er einen Fahrer erwischt hatte, der sich darum nicht scherte.

Nach der gesetzlich vorgeschriebenen Pause fuhr die Straßenbahn mit einem Ruck wieder an. Nun kämmte er die Radio- und Zeitungsnachrichten der letzten Tage nochmals nach Hinweisen durch, die er möglicherweise unbeachtet gelassen hatte, aber ohne Erfolg. Nichts deutete darauf hin, daß Polizeiobermeister Frederik Funkal gestern abend im Frühzecher nicht die Wahrheit gesagt hatte. Doch Herr Schweitzer konnte sich partout nicht mit der Idee anfreunden, daß der Frankfurter Stadtverordnete und als künftiger Oberbürgermeister gehandelte Klaus-Dieter Schwarzbach zwei Polizisten erschossen haben sollte. Nein, was immer man von diesem impertinenten Idioten auch gehalten haben mochte, für einen Mord mangelte es ihm definitiv an

Profil und Mut. Klaus-Dieter war ein Mann des Wortes, jemand, der reden und überzeugen konnte, jemand, der Intrigen spann, Lügenmärchen erzählte, Menschen begeistern konnte, jemand, der Freunden die Freundin ausspannte und immer und überall nur seinen eigenen Vorteil im Visier hatte. Er war ein Mensch, dem die Macht der Sprache in die Wiege gelegt worden war und der diese Macht mißbrauchte, wie so viele andere Politiker in diesem Lande auch. Herr Schweitzer befand, Schwarzbach hatte zu Recht gebaumelt, und dies war doch schon einmal ein recht gelungenes vorläufiges Resümee. Diese Zwischenbilanz fand zwischen den Haltestellen Ostendstraße und Zoo statt, also schon in Hibbdebach.

Herr Schweitzer hatte sich mittlerweile in die Vorstellung hineingesteigert, diesen O-Tw 905 erst dann zu verlassen, wenn sozusagen der letzte Gedanke, der zu denken überhaupt möglich war, gedacht war. An dieser Stelle erlaubte er sich einen Ausflug, der die moralische Seite der vermeintlichen Mördertötung seitens eines Teiles der Staatsgewalt beleuchtete. Das war, wie man sich leicht denken kann, nicht so einfach. Zum einen gab es da den weiter als man denkt verbreiteten Gedanken, daß eine Menschentötung dann als nicht ganz so verwerflich zu betrachten sei, wenn der getötete Mensch aus niederem Instinkt heraus selbst gemordet hatte oder wenn er sonstwie ein allgemein anerkanntes Arschloch war. Zum anderen, und das mußte an dieser Stelle mal klipp und klar gesagt werden, durfte eine solche Sühnung auf keinen Fall in die Hände der Polizei gelegt werden. Aber, und hier differenzierte Herr Schweitzer sehr pedantisch, hatte Funkals Vorgesetzter Paule Hansen hier durchaus auch als Privatperson gehandelt, denn schließlich waren sie einst gute Kumpels gewesen, der Paule Hansen und die beiden vor einundzwanzig Jahren ermordeten Polizisten. Nun ja, von einer Tat im Affekt konnte vielleicht nicht mehr gesprochen werden. Aber immerhin.

Herr Schweitzers Grundeinstellung zum Staat und vornehmlich zu seinen Organen hatte sich folglich durchaus geändert. Wogegen er früher auf die Barrikaden gegangen war, hieß er heute gut. Dafür brauchte er sich nicht zu schämen, schließlich trägt selbst unser aller Außenminister heutzutage keine Turnschuhe mehr. Allerdings, und da mußte er besonders gut aufpassen, galt es, sich nicht allzu weit von einstigen Idealen zu entfernen, wollte man nicht als ideologischer Bankrotteur oder reaktionärer

Kleingeist dastehen. Diese Grenze nicht zu überschreiten, darin bestand Herrn Schweitzers tagtäglicher geheimer Kleinkrieg mit sich selbst. Konservatismus war der Tod einer jeden Erneuerung, und der Jugend sollte das Recht eingeräumt werden, sich die Welt nach ihrem Gusto zu formen. Das war Simon Schweitzers momentane Sicht der Dinge, Änderungen in späteren Lebensabschnittsphasen selbstredend vorbehalten.

Ein miserabel geparkter weißer Mittelklassewagen mit abnehmbarem Verdeck provozierte ein Dauerklingeln des Straßenbahnfahrers. Herr Schweitzer kannte das aus seiner aktiven Zeit nur zu gut, rücksichtslose Mitmenschen sterben wohl nie aus. Über den Außenlautsprecher wurde der Fahrer des Wagens, der die Gleise blockierte, aufgefordert wegzufahren. Allein, der Fahrer war absent. Es kam nun die Durchsage, daß man auf unbestimmte Zeit festsaß und wer wolle, könne aussteigen. Einige Fahrgäste nutzten das Angebot.

Herr Schweitzer, alter Fahrensmann, der er war, blieb gelassen. Er hatte Zeit, er hatte zu denken. Wo war er stehengeblieben? Ach ja, bei der Jugend. Da war er wohl ein wenig abgedriftet. Er rief sich zur Ordnung und fragte sich, ob es denn vielleicht etwas bringe, nach Mitteln und Wegen zu suchen, welche die polizeiliche Überreaktion an dem Politiker Schwarzbach beweise. Möglicherweise, dachte Simon Schweitzer, wenn man die Presse mit einbeziehe, die hatte ja einst auch schon Hitlers Tagebücher aufgetrieben. Aber er fand diese spezielle Art der Problemlösung, die Paule Hansen da angewandt hatte, ja gar nicht so schlecht, man durfte es nur nicht laut sagen, sonst wurde ihm von irgendwelchen Moralaposteln noch Instinktlosigkeit oder solcher Kram vorgeworfen.

Der Fahrer des für die Fahrtunterbrechung verantwortlich zeichnenden weißen Mittelklassewagens mit abnehmbaren Verdeck war, Handy am Ohr, zurückgekehrt. Mit wichtiger Miene sprach er zu dem Apparat. Gleichgültig und ohne Hast schloß er die Autotür auf, ohne näher auf den schimpfenden Fahrer einzugehen. Herr Schweitzer sehnte sich eine Zeit herbei, in der man mit solchen Subjekten nicht viel Federlesens gemacht hätte. Da war er nicht allein, machen wir uns doch nichts vor.

Man hatte die Endhaltestelle in Bornheim erreicht. Simon Schweitzer hatte keine Lust mehr, über die Ermordung Schwarzbachs nachzudenken. Selber schuld, Klaus-Dieter, schloß er die

Überlegungen ab. Wer auch immer diese Figur aus dem Weg geräumt hatte, Paule Hansen oder sonstwer, seinen Segen hatten der oder die Täter. Hier brauchte nichts ins rechte Lot gebracht werden, und schon gar nicht von ihm, wer war er denn? Er wünschte, Schwarzbach würde für immerdar im Fegefeuer schmoren.

Auf der letzten Etappe seiner inneren Einkehr widmete er sich dem Umstand, daß Klaus-Dieter ja wegen seiner vermeintlichen Startbahnmorde abgestraft worden war. Und hier lag, da beißt die Maus keinen Faden ab, von irgendeiner Seite ein Denkfehler vor. Klaus-Dieter war kein Mörder. Den Tod hatte er zwar verdient, aber ein Mörder war er nicht. Zur Untermalung dieser gescheiten Erkenntnis schlug sich Herr Schweitzer vehement mit der rechten Faust in die linke Handfläche. So vehement, daß auf der gegenüberliegenden Sitzbank ein Muttchen erschrocken zusammenfuhr. Als Simon Schweitzer diese Reaktion auf seine Aktion bemerkte, errötete er leicht und entschuldigte sich gestenreich, nicht daß es wieder hieß, die Jugend von heute tauge nichts.

Aber wer hatte denn nun die zwei Polizisten ermordet? Herr Schweitzer mußte sich eingestehen, daß er in diesem Punkt nicht weiterkam. Als er an der Feuerwache ausstieg, war er aber soweit mit sich im reinen, daß der Tod des Stadtverordneten von Stund an kein übergeordnetes Thema mehr für moralische Fragenkomplexe sein sollte. Ab sofort gedachte er, wieder an seine Liebste, Maria von der Heide, zu denken. Und das tat er intensiv, da war er durch und durch Frankfurter. Goethe hatte auch nichts anderes im Kopp gehabt. Hieß es.

Daheim gelüstete ihn nach einem Tee. Diesen Trieb befriedigte er umgehend. Danach wußte er nichts Vernünftiges mit sich anzufangen. Zum Buchlesen fehlte ihm die Lust, Putzen und ähnliche Aktivitäten kamen bei dieser Hitze nicht in Frage. Solche von Phlegma geprägten Tage kamen im Leben ab und an vor, und Herr Schweitzer, der alte Taktiker, pflegte diese Zustände in aller Gemütsruhe an sich vorüberziehen zu lassen. Geschadet hatte es noch nie.

Irgendwann im Laufe des Spätnachmittags, als er einfach nur so durch die Wohnung streunte, kam er am Zimmer seiner Untermieterin vorbei. Er klopfte, obwohl er wußte, daß Laura auf Arbeit war. Selbstverständlich reagierte niemand auf sein Klopfen. Voller Heimtücke öffnete er die Tür einen Spalt breit und spähte vorsichtig hinein. Niemand da. Ohne an etwaige Folgen zu denken, ging er zur aufgespannten regenbogenfarbigen Hängematte. Liebevoll doch tatkräftig packte er Bimbo, den Stoffelefanten, der die Hängematte als Schlafstatt okkupiert hatte, und setzte ihn auf den Boden. Dann kletterte er ungelenk hinein. Irgendwie war Feinmotorik nicht sein Ding, er lag bäuchlings, und die Schnüre preßten sich in sein verzerrtes Gesicht. Die Füße hatten sich auch verheddert.

Zehn Minuten später hatte sich Herr Schweitzer wieder befreit, und er stand voller Unverständnis vor diesem Teufelswerk und betrachtete es. Nach einem ausgedehnten Studium versuchte er es erneut. Diesmal ging er weniger blauäugig zu Werke, nein, seinem Tun lag sogar ein ausgetüftelter Plan zugrunde. Er setzte sich auf die Hängematte, so daß die Beine herausbaumelten. Dann legte er sich quer zur vom Konstrukteur erdachten Liegerichtung. Kopf und Füße schwebten im Freien, aber der Clou kam ja noch. Zentimeter für Zentimeter arbeitete er sich nun voran, das heißt, im Kreise und gegen den Uhrzeigersinn. Natürlich mußte er da von Zeit zu Zeit die Gliedmaßen und einige andere Körperteile anheben, um den Stricken und Querverstrickungen Gelegenheit zu geben, sich neu zu formieren und auszurichten.

Nach nicht einmal einer Viertelstunde lag er völlig erschöpft aber glücklich und werbepostergleich, in dulci jubilo sozusagen, in der regenbogenfarbenen Hängematte. Probeweise stieß er sich mit dem Fuß an der Wand ab. Es schaukelte. Und wie. Die Hände verschränkte Simon Schweitzer hinter dem Kopf. Als er ausgeschaukelt hatte, stieß er sich von neuem ab. Undsoweiter. In ihm reifte der Gedanke, ein baugleiches Modell in seinem Zimmer aufzuspannen. Man könne da als Aufhängepunkt möglicherweise einen starken Baumstamm installieren. Sein Schreiner wußte da bestimmt Rat.

Er sah eine rosige Hängemattenzukunft auf sich zukommen. Einstweilen jedoch, er hätte es gerne vermieden, kehrten seine Gedanken selbständig zu Detailfragen des Schwarzbachdelikts zurück.

Karin hätte zwei Morde verhindern können, hatte sie selbst gesagt. Wie hatte er diesen Aspekt die ganze Zeit unbeachtet lassen können? Vielleicht lag ja hier des Rätsels Lösung. Rein mathematisch betrachtet, hieß das bei insgesamt drei Morden, daß damit nur der Doppelmord an der Startbahn gemeint sein konnte.

Logisch, sagte sich Herr Schweitzer. Bin ich blöd, ergänzte er. Die einzig andere mathematische Lösung hätte darin bestanden, den Mord an ihrem Mann und eine Hälfte des Doppelmordes zu verhindern. Letzteres hätte sich aber nur bewerkstelligen lassen, wäre man unmittelbar am Tatort präsent gewesen und hätte den Täter vor Ausführung des zweiten Mordes zurückhalten können. Vollkommen absurd. Aber auch hier drängte sich Klaus-Dieter als Täter auf. Und der war er ja laut Herrn Schweitzer nie und nimmer. Dann durchfuhr jäh ein weiteres Erinnerungsfragment sein Hirn, von dem er für einen ganz kurzen Moment sicher war, daß es ihm den Täter offenbarte.

Simon Schweitzer wollte seine bequeme Ruheposition verlassen, um in der alten Teekanne-Blechdose, wo er allerlei Krimskrams wie Eintrittskarten, keinem Fotoalbum zuzuordnende Fotographien, vergilbte Paßbilder und Postkarten aufbewahrte, nach möglichen Beweisen für eine Täterschaft seines nagelneuen Hauptverdächtigen zu suchen. Leider klingelte zur selben Zeit das Telefon, und aus dem abrupten Aufrichten seines Körpers wurde ein rasender Bewegungsablauf, der einem Herrn dieses Alters nicht gut zu Gesichte stand. Abgesehen davon war der Dübel in der Wand seinem Gewicht plus der pfeilschnellen Gewichtsverlagerung nicht gewachsen. Herr Schweitzer saß aufrecht, als er das Knirschen vernahm. Sofort richtete sich sein Blick auf den Haken etwa zwei Meter vor ihm, der sich millimeterweise samt Dübel, Hängemattenschlaufe und daran angeknüpftem Seil knirschend auf ihn zu bewegte.

Herrn Schweitzers letztes Stündlein hatte geschlagen, daran gab es nun nichts mehr zu rütteln. Er schloß die Augen und bereitete sich darauf vor, im Kielwasser des Todes in irgendwelche Abgründe zu segeln. Das Knirschen wurde heller, also schneller. Er kam nur bis zu den ersten drei, vier Silben des Vaterunsers, der Rest wäre ihm aber sowieso nicht eingefallen. Dann schlug erbarmungslos die Schwerkraft zu. Ein fürchterlicher Blitz durchzuckte sein Steißbein, und Herr Schweitzer wähnte sich kurz in der ewigen Verdammnis. Allein die Vernunft bewahrte ihn vor einer Ohnmacht. Nachdem sich der Radau gelegt hatte, segelte noch eine deformierte Dübelhälfte in seinen Schoß.

Das Telefon hatte zu klingeln aufgehört. Simon Schweitzer besah sich den Schaden. Der Haken hinter ihm hatte die Katastrophe heil überstanden. Er wurschtelte sich aus dem Tauwerk.

Dann stand er vorsichtig auf. Sein Allerwertester war in Mitleidenschaft gezogen worden, da bestand kein Zweifel. Es schmerzte beim Gehen. Aber wie sollte er Laura das Malheur erklären? Da mußte man wohl der Wahrheit die Ehre geben und ein Geständnis ablegen.

Herr Schweitzer klingelte bei Güney, seinem türkischen Nachbarn, und erbat dringlich Hilfe. Eine Stunde später war der Schaden behoben, doch der Gebrauch der Hängematte für die nächsten vierundzwanzig Stunden nicht gestattet, da der Gips noch aushärten mußte. Herr Schweitzer schrieb ein paar Zeilen an Laura, in denen er die Desasterumstände rudimentär erklärte.

Alsbald war das Trauma verarbeitet, und Simon Schweitzer konnte ohne psychiatrische Begleitung in den Alltag zurückkehren. Ach ja, die Teekanne-Blechdose mit den Postkarten. Er begab sich in sein Zimmer, öffnete die gotische Stollentruhe des ausgehenden fünfzehnten Jahrhunderts und entnahm ihr die Dose. Dann legte er sein Kopfkissen auf den Boden und ließ sich im Schneidersitz darauf nieder. Der Schmerz war auszuhalten.

Wie immer, wenn der Mensch nach Pretiosen aus seiner Vergangenheit sucht, läßt er sich auch gerne von anderen Erinnerungsstücken jedweder Epoche ablenken. So erging es auch Herrn Schweitzer. Er las Postkarten von irgendwann in der Geschichte verlorengegangenen Freunden, Liebesbriefe in Jungmädchenschrift, besah sich Fotos, auf denen ihm bekannte Personen irre Klamotten und völlig indiskutable Frisuren trugen, und seine Gedanken lotsten ihn hier- und dorthin.

Es war voraussehbar, daß sich die Postkarte, nach der er suchte, im letzten Stapel befand. Er löste das Gummiband und hielt sie in den Händen. Die Unterschrift stimmte, und wenn es auch eine Klaue war, so war sie doch leserlich.

Die Karte aus Perugia zeigte die Kirche Sant'Angelo aus dem fünfzehnten Jahrhundert vor strahlend blauem Himmel. Herr Schweitzer untersuchte den Poststempel. Das Datum auf der Briefmarke mit dem Kopf des Mathematikers Francesco Severi war gut leserlich. Automatisch nickte er mit dem Kopf. Zwischen der Räumung des Hüttendorfes und den Todesschüssen an der Startbahn West war viel Zeit vergangen. Bislang war er davon ausgegangen, daß sein Tatverdächtiger zum Tatzeitpunkt außer Landes war.

Bin seit zwei Wochen im wunderschönen Corciano unweit

Perugias. Sorry, daß ich so überstürzt abgereist bin und mich nicht verabschieden konnte. Habe schon eine Arbeit. Grüß mir Karin, Guntram und die anderen. Ciao. Unterschrift.

Er las die Karte noch mehrere Male. Natürlich war damit nichts bewiesen, aber es paßte einfach alles. Herr Schweitzer beschloß, heute abend Beim Zeus zu dinieren. Es war Dienstag, und Guntram hatte vor einer Woche gesagt, daß dies der Jour fixe für die Bürgerinitiative sei.

Bis auf die Postkarte aus Umbrien legte er alle anderen Erinnerungsstücke in die Blechdose zurück. Dann wurde er müde und hangelte sich am Bettpfosten hoch. Wie Napoleon einst neben den Schlachtfeldern würde auch ihm ein kurzes Schläfchen guttun. Wegen der Schmerzen legte er sich auf den Bauch.

Herr Schweitzer fühlte sich fast wie neu geboren, wäre da nicht sein gar arg in Mitleidenschaft gezogenes Hinterteil gewesen. Er saß am Tisch und hatte die Tageszeitung gelesen. Im Radio kamen Nachrichten, laut derer die Spendenaffäre der sozialistischen Genossen in Köln immer weitere Kreise zog. Bis dato hatte Simon Schweitzer derart degoutante Machenschaften ausschließlich den Konservativen zugetraut, doch scheinbar rüsteten die Sozialisten nach. In Hamm an der Lippe war eine Kreissparkasse mit nachträglicher Geiselnahme überfallen worden, und in Nigeria hatte es über dreihundert Tote bei einer Pipelineexplosion gegeben, die, so wurde gemunkelt, aus Kostengründen nicht ganz nach Vorschrift gewartet worden war. Kurzum, die Schwarzbachaffäre war aus den Schlagzeilen verdrängt, die Katastrophen fanden dort statt, wo sie hingehörten, und das Wetter sollte so bleiben.

Herr Schweitzer schaltete das Radio aus und war froh ob seines überschaubaren Lebens, auch wenn sich einige Verschleißerscheinungen zeigten. Noch fühlte er sich zu jung, um sich seines Daseins Konkursverwalter zu schimpfen. Zumal mit Maria ja ein neuer Stern am Liebeshimmel aufgegangen war. Er rief an und verabredete sich mit ihr für später im Weinfaß. Eine kordiale Zuneigung erfüllte ihn.

Dann war es an der Zeit, sich in Schale zu werfen. Leider war das Gros seiner Lieblingsklamotten in dem Stapel, der dringend einer Wäsche bedurfte. Morgen, entschied Herr Schweitzer souverän, würde er mal wieder einen Haushaltstag einlegen. Falls er Zeit hatte.

Eine alte beige Stoffhose saß wie angegossen, im wahrsten Sinne des Wortes. Den obersten Knopf konnte man ja offen lassen, der schwarze Ledergürtel würde schon für ausreichend Stabilität sorgen. Ein fossiles rosa Hemd ergänzte die Kombination, trug aber wenig zur aktuellen Mode bei. Herr Schweitzer sah aus wie ein zusammengeflickter Eintänzer. Er steckte die Postkarte aus Perugia ein.

Kurz darauf Beim Zeus.

„Simon, ti kánis?"

„Kalá efcharistó, Theo. Und dir?"

Der Stammtisch der Bürgerinitiative gegen die Flughafenerweiterung war noch leer, trotzdem wurde er von Theophilos dorthin geleitet.

„Du hast doch hoffentlich viel Hunger. Roxane hat für heute Keftedes vorbereitet. Phantastisch, hmm, lecker, mußt du unbedingt probieren."

„Und als Vorspeise? Damit einem das Leben nicht so schwerfällt."

„Vielleicht Feta?"

„Alles klar, Theo. Dann bestelle ich das. Und ein Glas vom roten Hauswein, bitte."

Wieder einmal hatte Herr Schweitzer seine Mahlzeit schneller beendet als geplant. Noch war niemand von der Bürgerinitiative eingetrudelt, aber es war ja auch erst halb acht. Eine halbe Stunde Zeit also noch, die er mit einem rasch nachbestellten Eisbecher gekonnt nutzte.

Guntram Hollerbusch, Daniel Fürchtegott Meister und eine Dame in mittleren Jahren, um die fünfundsechzig also, die letzten Dienstag nicht dabei gewesen war, kamen gleichzeitig mit seinem Nachtisch.

„Ach, der Herr Arrestant", begrüßte Herr Schweitzer den Apostel. „Schön, dich auf freiem Fuß zu wissen. Wir haben uns schon große Sorgen gemacht."

„Wer ist wir?" fragte Guntram und setzte sich neben Simon Schweitzer. Die Dame und Daniel Fürchtegott nahmen gegenüber Platz. Bevor Simon Schweitzer die Frage beantworten konnte, fuhr der Apostel auch schon fort: „Darf ich vorstellen. Heidi. Simon."

Heidi. Daß es diesen Namen noch gab. Herr Schweitzer kannte mal eine, die so hieß. Grundschule. Erste bis vierte Klasse. Streberin. „Angenehm“, meinte er mit erhabener Würde, denn die Dame strahlte etwas Aristokratisches aus. Ein saloppes Hallöchen, wie unter Großstadtguerillas üblich, wäre da vielleicht nicht ausreichend opportun gewesen.

Trotzdem hatte er Guntrams Frage nicht vergessen. „Wir sind Karin, ihre Schwester, Bertha und ich. Trotz der Wirren der Zeit hätten wir dir heute einen Rechtsanwalt besorgt.“

„Wieso? Ich hab doch nichts getan. Die mußten mich doch einfach laufen lassen“, erwiderte der Apostel.

Herr Schweitzer fragte sich, ob soviel Naivität bestraft gehörte, oder ob soviel Glauben in eine ihm unbekannte Gerechtigkeit Bewunderung verdiente. Er ließ die Frage offen.

Dafür entgegnete Daniel Fürchtegott, der bislang noch nichts gesagt hatte: „Wenn ich für jeden Tag, den je ein Mensch unschuldig im Knast saß, einen Euro bekäme ...“

„... wärst du heute reich“, vollendete Herr Schweitzer.

„Steinreich“, legte Daniel Fürchtegott noch einen drauf.

„Ist ja schon gut“, wollte Guntram das Thema endlich vom Tisch haben. „Dein Eis wird kalt.“

Halb zerschmolzen schmeckte es Simon Schweitzer sowieso am besten.

Dreißig Minuten später war der Tisch voll besetzt. Im großen und ganzen waren es dieselben Personen wie letzten Dienstag. Es war nur eine weitere Kapriole der Geschichte, daß Herr Schweitzer nun nach über einundzwanzig Jahren wieder mittenmang und wie ehedem in der Protestbewegung gegen die Willkür der Flughafenbetreiber steckte, obzwar er damals mit zorniger Entschlossenheit allen politischen Aktivitäten abgeschworen hatte. Die anderen Teilnehmer der Tafelrunde waren baß erstaunt ob ihres neuen Mitgliedes kämpferischen Unternehmungsgeist. Apostel Hollerbusch, der still in sich hineinschmunzelte, und Daniel Fürchtegott Meister, der sich wie früher nur sehr spärlich an der Diskussion beteiligte, waren wenig überrascht, den alten Wüterich Simon Schweitzer in altem Glanz zu erleben.

So sehr Herr Schweitzer auch von seinem Treiben beansprucht war, so hatte er doch ein wachsames Auge auf den Genossen Meister geworfen.

Als die Sitzung sich dem Ende zuneigte, hatte Simon Schweitzer unter anderem die Aufgabe übernommen, bis zum nächsten

Treffen ein Flugblatt mit den heute erarbeiteten Positionen zu entwerfen, welches dann in den von der neuen Einflugschneise betroffenen Gebieten verteilt werden sollte.

Theophilos kam mit einem vollen Tablett Ouzo an den Tisch. Ex usu wußte Herr Schweitzer, daß jeder Versuch einer Ausflucht von vornherein zum Scheitern verurteilt war. Er ergab sich seinem Schicksal und stieß mit Theo und den anderen an.

Unter Ausschaltung sämtlicher Geschmacksorgane kippte er das Teufelszeug hinunter und schüttelte sich. Durch das lange Sitzen machte sich sein durch den Hängemattensturz lädiertes Steißbein bemerkbar. Sex und andere Akrobatik fielen damit ja wohl oder übel ins Wasser, schlußfolgerte Simon Schweitzer.

Nachdem Theophilos abkassiert hatte, bestellte Herr Schweitzer noch eine kleine Runde Pils für den Apostel, Daniel Fürchtegott und sich selbst, schließlich mußte der Ouzogeschmack eliminiert werden. Und die Postkarte aus Perugia steckte noch in seiner Brusttasche.

„Wie war's denn so im Knast?" fragte Herr Schweitzer fröhlich.

Guntram Hollerbusch lächelte müde. „Das war doch kein Knast. Man hat mich lediglich versehentlich inhaftiert, das ist alles."

„Soso, versehentlich. Aber irgendwer muß dich doch verdächtigt haben, das saugt man sich doch nicht einfach so aus den Fingern."

„Was weiß ich denn. Schließlich kannte ich ja das Opfer, äh, Klaus-Dieter. Und außerdem, irgendwer muß ihn ja erschossen haben, warum also nicht ich? Geht ihr morgen eigentlich zur Beerdigung?"

Herr Schweitzer hatte Daniel Fürchtegott Meister sehr genau beobachtet und einen unstetig hin und her huschenden Blick konstatieren können, als der Apostel die Bemerkung gemacht hatte, daß irgendwer Schwarzbach ja erschossen haben mußte. Sehr gerne hätte er Daniel Fürchtegott unter vier Augen gesprochen. Ohne den Apostel.

Das Pils kam. Man prostete sich zu. Der alte Philosoph Daniel Fürchtegott tat einen sehr großen Schluck und erklärte, daß er grundsätzlich nicht auf Beerdigungen gehe, es gehe ihm da regelmäßig zu steif zu. Herr Schweitzer hingegen meinte, daß mangelnder Spaß bei Beisetzungen für ihn in der Regel kein Problem darstelle, daß er aber eine Teilnahme an Klaus-Dieters Himmelfahrt für reine Heuchelei halte, und daß er sowieso stark bezweifle, daß des Dahingemeuchelten Seele gen Himmel fahren würde. Außerdem stand zu befürchten, daß ihm bei den von Schwarzbachs Parteikollegen zu erwartenden Reden speiübel werde.

Hier nickte überraschend der Apostel, stellte der Klerus sich doch seit Menschengedenken und Christianisierungsfeldzügen seinen Fans doch in etwas anderem Lichte dar. Herr Schweitzer fragte sich, ob Guntram auch schon Grabreden gehalten hatte. Er wollte sich gerade danach erkundigen, als Daniel Fürchtegott mit dem Hinweis auf die Toilette aufstand. Das war eine gute Gelegenheit, fand Simon Schweitzer, entschuldigte sich bei Guntram und folgte Daniel Fürchtegott zum Abort.

In friedlicher Koexistenz stand man am Pinkelbecken, und Herr Schweitzer kam ohne große Umschweife zur Sache. „Kommt Zeit, kommt Rat, kommt Attentat", zitierte er den früher in Revoluzzerkreisen beliebten Spruch und reichte seinem Pinkelnachbarn die Postkarte aus Perugia.

Da seine linke Hand beschäftigt war, nahm er die Karte mit der rechten entgegen und untersuchte sie. „Die ist ja von mir."

Herr Schweitzer wußte, er steckte jetzt mitten in der Schlüsselszene. Mit Bedacht wählte er seine Worte: „Ja. Abgestempelt am vierzehnten September einundachtzig und du schreibst, daß du seit zwei Wochen im wunderschönen Corciano unweit Perugias bist."

„Ja und?"

„Exakt zwei Wochen und einen Tag vorher wurden die zwei Polizisten ermordet. Und ich hatte immer geglaubt, du wärst zur Tatzeit schon in Italien gewesen. Das stimmt aber nicht."

„Was beweist das schon?" Daniel Fürchtegott entledigte sich schüttelnd der letzten Urintropfen und zog den Reißverschluß hoch. Er fühlte sich bemüßigt hinzuzufügen: „Außerdem hat Klaus-Dieter die Bullen auf dem Gewissen."

Touché, das war's dann wohl. Der lange Arm der Geschichte hatte Daniel Fürchtegott eingeholt und an der Schulter gepackt. Auch Herr Schweitzer schüttelte den Urin ab.

Dann standen sie gemeinsam am einzigen Waschbecken. Im Spiegel wich Daniel Fürchtegott Herrn Schweitzers Blick aus. Er hatte sich seit Stunden diesen Augenblick vorzustellen versucht und war nun sehr verwirrt. Kein Überschwang der Gefühle stellte sich ein, und die Glückshormone blieben, wo sie waren. Dabei hielt er unendlich viel Macht respektive Meisters Leben in den Händen. Nie hätte er gedacht, daß so eine zarte Person wie Daniel Fürchtegott zu einer solchen Tat fähig sei. Aber was wußte man schon von seinen Mitmenschen?

Fast hätte Herr Schweitzer vergessen zu erwidern: „Kein Mensch, lieber Daniel, hat dir je gesagt, daß Klaus-Dieter die Polizisten ermordet hat. Darauf kann nur derjenige kommen, der diese falsche Fährte gelegt hat. Und das bist du. Du bist der Startbahnmörder."

Meister wusch sich weiterhin die Hände, obwohl schon längst kein Dreckpartikel in irgendeiner Pore mehr steckte.

„Du wolltest die Polizei glauben machen, daß Schwarzbach damals die Tat begangen hat, und hast deshalb die Mauser in seinem Garten versteckt und dann die Polizei angerufen. Ich weiß, daß du die letzten Wochen Karin ein paarmal besucht hast, du hattest also reichlich Gelegenheit dazu. Ich kann mir auch denken, warum du wolltest, daß man Klaus-Dieter als Mörder verdächtigt."

Herr Schweitzer trocknete seine Hände am verchromten Heißluftgebläse neben dem Kondomautomaten. Im Spiegel sah er Daniel Fürchtegotts breites Grinsen, welches ihm mitteilte, verbal habe er von ihm momentan in dieser Angelegenheit nichts zu erwarten.

Folglich fuhr Simon Schweitzer fort: „Dir kann man nach einundzwanzig Jahren wahrscheinlich sowieso nichts mehr nachweisen. In Italien hast du gehört, daß unser kleines Arschloch sich anschickte, nächster Oberbürgermeister von Frankfurt zu werden. Und dann hast du gehandelt. Heimlich, still und leise, genau wie damals. Nur deswegen bist du aus Italien zurückgekehrt. Schade, daß Klaus-Dieter auch ermordet wurde, ich hätte gerne gesehen, wie er versucht, sich aus der Falle zu befreien, die du ihm gestellt hast. Jeder wußte ja von seiner Vergangenheit. Und dann die Tatwaffe in seinem Garten. Raffiniert. Einzig Karin muß irgendwann einmal etwas geahnt haben, denn sie hat behauptet, sie hätte die Morde verhindern können. Aber die Aussage einer psychisch Kranken wäre sowieso ohne Wert."

Daniel Fürchtegotts Grinsen nahm indes den ganzen Platz zwischen den Ohren ein. „Ich auch, Simon, glaub mir, ich hätte es auch gerne gesehen, aber irgendwer ist da wohl später noch ein wenig ausgerastet.“ Dann stellte er das Waschen ein, trocknete sich die Hände an der Hose ab und betrat gemeinsam mit Herrn Schweitzer des Griechen Schankraum.

Soso, dachte Simon Schweitzer wohlgelaunt, nachdem man sich wieder zu Guntram an den Tisch gesetzt hatte, es war also der alte Schlawiner Daniel Fürchtegott gewesen, der Klaus-Dieters rigorosem Ignorieren moralischer Regeln etwas entgegenzusetzen hatte. Wer hätte das gedacht. Erst jetzt ging Herrn Schweitzer auf, daß er ja in dieser komplexen Angelegenheit der einzige war, der die ganze Wahrheit kannte. Und die würde er auch mit ins Grab nehmen, da war er sich ganz sicher. Nur durch die Sachsenhäuser Maxime immer horche, immer gucke, hatte er den Fall gelöst. Quasi zwischen Kondomautomaten und Pinkelbecken. Er hatte allen Grund, zufrieden mit sich zu sein.

„Ich muß euch was gestehen“, unterbrach Daniel Fürchtegott des Herrn Schweitzers süße Gedanken, „ich bin gar kein Bettler, war auch nie einer. Meine Olivenmühle ist eine der größten der Region.“ Er zückte sein Portemonnaie, das vor lauter Geldscheinen aus allen Nähten platzte und überreichte dem Apostel und Simon Schweitzer je eine exklusiv designte Visitenkarte.

„Wie ...?“ begann Guntram. „Die ganz Zeit hast du uns was vorgespielt. Aber warum?“

Herr Schweitzer grinste nur und erinnerte sich an Gerhart Hauptmann, über dessen Bett in Hiddensee die Weisheit prangte und noch immer prangt, daß Schweigen die größte Kunst sei.

„Theo, bring noch drei große Bier, bitte.“ Diesmal war es Daniel Fürchtegott, der bestellte.

Eine Stunde später verabschiedete man sich vor dem Zunftbrunnen, der das Plätzchen vor dem Avetorhaus zierte. Der Nackte Jörg, ein weiteres Sachsenhäuser Unikum, zog, wie immer nur mit Badelatschen und Walkman bekleidet, seines Weges.

„Pscht“, meinte Daniel Fürchtegott abschließend zu Simon Schweitzer und hielt dabei den Zeigefinger senkrecht vor den Mund.

Herr Schweitzer zuckte mit der Schulter, was hätte es auch schon groß zu erzählen gegeben. Er hob den Arm kurz zum Abschied und trollte sich Richtung Lokalbahnhof, der schon lange nicht mehr existierte, doch pro memoria hieß der Platz, der weiland Endstation der ersten Frankfurter Straßenbahn war, noch heute so.

„Simon, du altes Warzenschwein“, hallte es ihm von der Seite entgegen.

Er hatte seinen Vorsatz, das nächste Mal einen anderen Nachhauseweg zu wählen, schlichtweg vergessen, was ja auch kein Wunder war. Also entrichtete er seinen obligaten Wegezoll an die dicke Gertrud, mit der er einst die Schulbank drückte.

Mit einem Gott vergelt's wurde ihm auch diesmal gedankt.

Simon Schweitzer liebäugelte stark damit, sich später das Einschlafen mit einem Joint aus Ingredienzen aus dem Tal von Baalbek zu versüßen. Er bog in die Textorstraße ein. Bald würde er im Weinfaß Maria von der Heide wiedersehen. Er nahm sich vor, ihr zu sagen, daß er sie liebte. Vielleicht ließe sich die Dame ja später mal freien.

Ende der ersten Simon-Schweitzer-Kriminalepisode

Bisher erschienen:

„Simon Schweitzer – Immer horche, immer gugge“ (2003)
„Geiseldrama in Dribbdebach“ (2004)
„Tod im Ebbelwei-Expreß“ (2005)
„Die Leiche am Eisernen Steg“ (2006)
„Opium bei Frau Rauscher“ (2007)

Signierte Bücher können ohne zusätzliche Versand- und Portokosten direkt beim Autor bestellt werden: www.simon-schweitzer.de oder frankdemant59@yahoo.de

Autor: Frank Demant

ISBN-13: 978-3-9809915-0-6
Preis: 9,30 Euro / SFr. 17,70

Simon Schweitzer - immer horche, immer gugge

Eines Tages wird Simon Schweitzer, ohne daß er es merkt, mit einer Leiche konfrontiert. Und außerdem sind da noch die zwei bis dato ungeklärten Polizistenmorde an der Startbahn West und Maria von der Heide. Die mit der atemberaubenden Figur.

Autor: Frank Demant

ISBN-13: 978-3-9809915-1-3
Preis 9,30 Euro / SFr. 17,70

Simon Schweitzer - Geiseldrama in Dribbebach

Eines tristen Tages betritt Simon Schweitzer die Filiale der Teutonischen Staatsbank, um sich über deren widerlichen Gebührenpolitik zu beschweren. Doch dann gerät er unversehens in einen Überfall, der von Anfang an etwas seltsam anmutet und sich gar arg in die Länge zieht.

Autor: Frank Demant

ISBN-13. 978-3-9809915-2-0
Preis 9,30 Euro / SFr. 17,70

Simon Schweitzer - Tod im Ebbelwei - Expreß

Schurkische Kräfte aus Rußland und Italien versuchen, im Apfelweinland Sachsenhausen Fuß zu fassen. Doch haben sie nicht mit dem Widerstand der einheimischen Bevölkerung und dem Ebbelwei-Expreß gerechnet.

Röschen-Verlag

Frank Demant
+++Tagesgeschäfte+++
ISBN-13: 978-3-9809915-3-7
Preis 10,00 Euro / SFr. 18,50

Das vorliegende Buch beruht auf einer wahren Begebenheit, die sich im Umfeld des Autors zugetragen hat. Das couragierte Verhalten eines unbedeutenden Sachbearbeiters entwickelte sich zum wohl teuersten Mobbing-Fall in der Geschichte der Bundesrepublik Deutschland.

Es ist eine Hommage an all diejenigen, die trotz größter Repressalien den Blick für Recht und Unrecht nie aus den Augen verlieren.

Autorin: Anke Behrend
ISBN-13: 978-3-9809915-5-1
Preis 9,40 Euro / SFr. 17,30
190 Seiten

Fake Off!

Alex, vorzeigbare Single Anfang vierzig, träumt wie so viele von einem Leben zu zweit. Via Internet macht sie sich auf die Suche nach einem passenden Partner. Das Angebot scheint groß und verlockend. Doch halten die Kandidaten auch das, was sie virtuell versprechen? Die ersten Treffen sind ernüchternd, bis Listen2Me auftaucht. Und Alex wunderbar witzige Geschichten erlebt, die das Leben nicht besser schreiben könnte.

Röschen-Verlag

Wolfgang Fienhold
Die flambierte Frau

ISBN-13: 978-3-9809915-8-2
Preis 9,80 Euro / SFr. 20,30

Ein Callgirl und ein Callboy werfen ihre Klamotten zusammen und betreiben ihre Jobs von der gemeinsamen Wohnung aus, welche auch Arbeitsplatz ist. Alles läuft perfekt an, doch als Liebe ins Spiel kommt, werden die Dinge komplizierter und immer schwerer, und es ist Schluss mit der scheinbaren Leichtigkeit des Seins. Die flambierte Frau ist ein Roman über Leidenschaft und Obsession, der in all den Jahren nach der Erstveröffentlichung nichts von seiner Originalität und suchterzeugenden Wirkung verloren hat. Ein zeitloser Klassiker, der buchstäblich unter die Haut geht.

Mike Brutscher
Die Anschafferin

ISBN-13: 978-3-9809915-7-5
Preis 9,80 Euro / SFr. 20,30

Was treibt Männer ins Bordell? Welche Sexualpraktiken werden dort ausgeübt und was kosten sie?

Mike Brutscher hat auf jede Frage eine Antwort gefunden. In eindrucksvoller Art und Weise ist es dem Autor gelungen, aus mehreren Interviews, die er mit Prostituierten aus dem Frankfurter Rotlichtmilieu führte, eine Erzählung zu konstruieren, die den neugierig gewordenen Leser veranlaßt, Kapitel für Kapitel hastig zu verschlingen.

„Die Anschafferin“ ist erotisch, widerwärtig und lustig zugleich.

»Großstadtfilm im Gallus, Roadmovie auf der A661.«
Frankfurter Rundschau

Victors und Pauls Vorhaben, ihr Leben zu ändern, gerät in Turbulenzen, als Kisten-Rudi verschwindet, die sozialökologisch engagierte Ulrike schwanger wird und ein dubioses Paket befördert werden muß. Auf der Flucht vom Frankfurter Gallusviertel ins Gelobte Land Italien müssen sich unsere Helden neben diversen Verfolgern auch der Erkenntnis stellen, daß man irgendwann wegfahren muß, um ganz anders zu leben.

»Genial. Ein chaotisches ›Roadmovie‹ zwischen Suff und Slapstick, Kulturkritik und Katerfrühstück. Fröhlich und selbstironisch. Dieser mordsmäßige Spaß sei allen Frankfurtern empfohlen.« *Frankfurter Rundschau*

Martin Beer & Christoph Jenisch:
Ganz anders
Ein Roadmovie
199 Seiten, broschiert
14,– Euro
ISBN 978-3-930333-55-4